Carmen 621·21·78

¿QU~~É ENSEÑA~~
re~~almente~~
LA BIBLIA.

ESTE LIBRO PERTENECE A

Procedencia de las ilustraciones: ■ Página 7: por gentileza de American Bible Society
■ Página 13: universo: por gentileza de Anglo-Australian Observatory, foto de David Malin
■ Página 19: planeta Tierra: foto de la NASA ■ Páginas 24, 25: foto de la OMS de Edouard
Boubat ■ Páginas 88, 89: explosión: a partir de foto de USAF; niño: a partir de foto de la OMS
de W. Cutting ■ Página 126: feto: Dr. G. Moscoso/Photo Researchers, Inc. ■ Página 155:
fondo de la parte superior izquierda: Ernst Haas, Transglobe Agency (Hamburgo) ■ Página 165:
universo: por gentileza de ROE/Anglo-Australian Observatory, foto de David Malin

¿Qué enseña realmente la Biblia?
Editores
D.R. © 2005
La Torre del Vigía, A.R.
Heraldo 104, Col. Clavería
02080 México, D.F.
Publicado en español: 2005
Primera edición en México: 2005
Trigésima novena reimpresión: 2011
Esta publicación se distribuye como parte de una obra mundial
de educación bíblica que se sostiene con donativos. Prohibida su venta.
A menos que se indique lo contrario,
las citas de la Biblia son de la versión en lenguaje moderno
Traducción del Nuevo Mundo de las Santas Escrituras (con referencias)
What Does the Bible Really Teach?
Spanish (*bh*-S)

Impreso en México   ISBN 968-5004-93-5   Printed in Mexico

Esta obra se imprimió en julio de 2011, en la imprenta de La Torre del Vigía, A.R.,
Av. Jardín 10, Fracc. El Tejocote, 56239 Texcoco, Edo. de Méx.
La reimpresión consta de 300.000 ejemplares.

ÍNDICE

¿Es esto lo que Dios quería?

¿QUÉ noticias encuentra cuando lee el periódico, mira la televisión o escucha la radio? ¡Hay tantas historias de delincuencia, guerra y terrorismo! Ahora piense en sus propios problemas. Es posible que la enfermedad o la muerte de un familiar o un amigo le estén causando mucha angustia. Puede que se sienta como Job, un hombre bueno que dijo estar "agobiado de aflicciones" (Job 10: 15, *La Sagrada Biblia*, de F. Torres Amat).

Quizás se pregunte:

- **¿Es esto lo que Dios quería para mí y para el resto de la humanidad?**
- **¿Dónde puedo encontrar ayuda para superar mis problemas?**
- **¿Habrá algún día paz en la Tierra?**

Pues bien, la Biblia da respuestas satisfactorias.

4

**LA BIBLIA ENSEÑA
QUE DIOS REALIZARÁ
ESTOS CAMBIOS EN LA TIERRA.**

*"Limpiará toda lágrima de sus ojos,
y la muerte no será más, ni existirá
ya más lamento ni clamor ni dolor."*
(Revelación [Apocalipsis] 21:4)

*"El cojo trepará
justamente como
lo hace el ciervo."*
(Isaías 35:6)

*"Los ojos
de los ciegos
serán abiertos."*
(Isaías 35:5)

"Todos los que están en las tumbas conmemorativas [...] saldrán." (Juan 5:28, 29)

"Ningún residente dirá: 'Estoy enfermo'." (Isaías 33:24)

"Llegará a haber abundancia de grano [o alimento] en la tierra." (Salmo 72:16)

BENEFÍCIESE DE LO QUE LA BIBLIA ENSEÑA

No se apresure a pensar que lo que aparece en las páginas anteriores es solo un sueño. Dios lo ha prometido, y la Biblia explica cómo lo cumplirá.

Pero eso no es todo. La Biblia también nos enseña cómo disfrutar aun ahora de una vida llena de satisfacción. Piense por un momento en sus propios problemas y preocupaciones. Tal vez tengan que ver con el dinero, la familia, la salud o la muerte de un ser querido. Pues bien, la Biblia nos ayuda a afrontar esas dificultades, y también nos consuela dando respuesta a preguntas como las siguientes:

- *¿Por qué sufrimos?*

- *¿Cómo podemos enfrentarnos a las preocupaciones de la vida?*

- *¿Qué podemos hacer para que nuestra vida de familia sea más feliz?*

- *¿Qué nos sucede al morir?*

- *¿Volveremos a ver algún día a nuestros seres queridos que han muerto?*

- *¿Por qué podemos estar seguros de que Dios cumplirá lo que ha prometido?*

El hecho de que usted esté leyendo estas líneas demuestra que desea saber lo que la Biblia enseña. Este libro le ayudará a averiguarlo. Observe que al pie de las páginas hay preguntas correspondientes a los párrafos. A millones de personas les ha gustado mucho el método de preguntas y respuestas que los testigos de Jehová emplean para examinar la Biblia, y esperamos que ese también sea su caso. Que Dios lo bendiga en la emocionante experiencia de aprender lo que la Biblia *realmente* enseña.

CONOZCA SU BIBLIA

LA Biblia está compuesta por 66 libros y cartas, que están divididos en capítulos y versículos para facilitar su búsqueda. Cuando se citan textos bíblicos en esta publicación, el primer número que aparece después del nombre indica el capítulo del libro o carta de la Biblia, y el siguiente número indica el versículo. Por ejemplo, la cita "2 Timoteo 3:16" se refiere a la segunda carta a Timoteo, capítulo 3, versículo 16.

Si busca los textos citados en esta publicación, no tardará en conocer bastante bien la Biblia. Además, ¿por qué no adopta la costumbre de leer la Biblia a diario? Leyendo de tres a cinco capítulos cada día, la terminará en un año.

CAPÍTULO 1

¿Cuál es la verdad acerca de Dios?

¿De verdad se interesa Dios por usted?

¿Cómo es Dios? ¿Tiene nombre?

¿Es posible acercarse a él?

¿SE HA fijado en la cantidad de preguntas que hacen los niños? Muchos comienzan en cuanto aprenden a hablar. Con ojos curiosos y bien abiertos miran a uno y le dicen: "¿Por qué el cielo es azul?", "¿De qué están hechas las estrellas?" o "¿Quién enseñó a cantar a los pájaros?". Sin importar cuánto nos esforcemos por contestarles, a veces nos vemos en aprietos. En realidad, hasta la mejor respuesta puede llevar a esta otra pregunta: "¿Y por qué?".

² Los niños no son los únicos que tienen la costumbre de preguntar. A medida que crecemos, seguimos haciendo preguntas, tal vez para saber cómo se llega a un sitio, para evitar algún peligro o por simple curiosidad. Pero parece que mucha gente deja de hacer ciertas preguntas, especialmente las más importantes. O por lo menos, deja de buscar las respuestas.

1, 2. En muchos casos, ¿por qué es bueno hacer preguntas?

³ Piense en la pregunta de la portada de este libro, así como en las que aparecen en el prólogo y al principio de este capítulo. Esas son algunas de las preguntas más importantes que se pueden hacer. Sin embargo, mucha gente ha dejado de buscar las respuestas. ¿Por qué? ¿Será posible encontrarlas en la Biblia? A algunas personas les parece que las respuestas que da la Biblia son muy complicadas. Otras no se atreven a preguntar por miedo a quedar avergonzadas. Y hay quienes creen que esas cuestiones es mejor dejárselas a los líderes y maestros religiosos. ¿Qué opina usted?

⁴ Seguramente, usted desea conocer la respuesta a las grandes cuestiones de la vida. A veces quizá se haga estas preguntas: "¿Para qué hemos venido al mundo? ¿Es esta vida todo lo que hay? ¿Cómo es Dios?". Hace bien en pensar en estos temas, y es importante que no se dé por vencido hasta encontrar respuestas claras y confiables. Jesucristo, conocido por ser un gran maestro, dijo: "Sigan pidiendo, y se les dará; sigan buscando, y hallarán; sigan tocando, y se les abrirá" (Mateo 7:7).

⁵ Si usted 'sigue buscando' las respuestas a las preguntas importantes, comprobará que vale la pena el esfuerzo (Proverbios 2:1-5). A pesar de lo que otras personas le hayan podido decir, esas respuestas *existen y están a su alcance*. Se encuentran en la Biblia y no son complicadas. Lo que es mejor, nos dan esperanza y alegría, y nos permiten tener una vida feliz incluso en la actualidad. Empecemos con una pregunta que inquieta a mucha gente.

---

3. ¿Por qué dejan muchas personas de buscar las respuestas a las preguntas más importantes?

4, 5. ¿Cuáles son algunas de las preguntas más importantes que podemos hacernos, y por qué debemos buscar las respuestas?

¿ES DIOS INDIFERENTE O INSENSIBLE?

[6] Muchos creen que sí. Piensan que si él se preocupara por nosotros, las cosas serían muy diferentes. Vivimos en un mundo plagado de guerras, odio y dolor. Todos nos enfermamos, sufrimos y perdemos a seres queridos. Por eso hay quienes dicen: "Si le importáramos a Dios, ¿no nos libraría de todos estos problemas?".

[7] Y lo que es peor, muchos maestros religiosos hacen pensar a la gente que Dios es insensible. Por ejemplo, cuando ocurre una tragedia, dicen que fue la voluntad de Dios. En la práctica, es como si afirmaran que Dios tiene la culpa de las desgracias. Pero ¿es eso verdad? ¿Qué enseña realmente la Biblia? Santiago 1:13 responde: "Al estar bajo prueba, que nadie diga: 'Dios me somete a prueba'. Porque con cosas malas Dios no puede ser sometido a prueba, ni somete a prueba él mismo a nadie". Por lo tanto, Dios *nunca* es el causante de la maldad que vemos en el mundo (Job 34:10-12). Es cierto que permite que ocurran cosas malas, pero hay una gran diferencia entre *permitir* que algo suceda y *causarlo*.

[8] Piense, por ejemplo, en un padre sabio y amoroso que tiene bajo su techo a un hijo ya adulto. Cuando este se hace rebelde y decide irse de casa, el padre no lo detiene. El hijo toma un mal camino y se mete en dificultades. ¿Diría usted que el padre es el *causante* de los problemas de su hijo? Claro que no (Lucas 15:11-13). De igual manera, Dios no ha impedido que los seres humanos tomen un mal ca-

6. ¿Por qué piensan muchos que a Dios no le importa el sufrimiento de las personas?
7. a) ¿Por qué puede decirse que muchos maestros religiosos hacen pensar a la gente que Dios es insensible? b) ¿Qué enseña realmente la Biblia acerca de nuestros sufrimientos?
8, 9. a) ¿Con qué ejemplo podría explicar usted la diferencia entre permitir la maldad y causarla? b) ¿Por qué sería injusto criticar a Dios por permitir que la humanidad siga un mal camino?

mino, pero eso no significa que él sea el *causante* de las desgracias que ellos mismos se han buscado. No cabe duda de que sería injusto culpar a Dios de todos los males que sufre la humanidad.

⁹ Dios tiene buenas razones para permitir que la humanidad siga un mal camino. Puesto que él es nuestro sabio y poderoso Creador, no está obligado a darnos explicaciones. Sin embargo, nos las da por amor. En el capítulo 11 veremos con más detalle cuáles son sus razones. Sin embargo, usted puede estar seguro de que él no tiene la culpa de nuestros problemas. En realidad es todo lo contrario, ya que Dios nos da la única esperanza de verlos solucionados (Isaías 33:2).

¹⁰ Además, Dios es santo (Isaías 6:3). Eso significa que es puro y limpio, que no tiene ninguna maldad. Por este motivo podemos confiar por completo en él, algo que no puede decirse de los seres humanos, que en ocasiones se vuelven corruptos. Ni siquiera el más honrado de los gobernantes tiene el poder de reparar el daño que provocan las personas malvadas. Pero Dios es todopoderoso. Él puede eliminar todo el sufrimiento que la maldad ha causado, y así lo va a hacer. Cuando intervenga, lo hará de tal manera que acabe para siempre con el mal (Salmo 37:9-11).

¿CÓMO SE SIENTE DIOS CUANDO PADECEMOS INJUSTICIAS?

¹¹ Mientras tanto, ¿cómo se siente Dios por lo que está pasando en el mundo y en nuestra vida? La Biblia enseña que él 'ama la justicia' (Salmo 37:28). Él se interesa profundamente en si algo está bien o mal y odia toda clase de injusticia. La Biblia dice que "se sintió herido en el corazón" cuando en tiempos antiguos el mundo se

10. ¿Por qué podemos confiar en que Dios eliminará todo el sufrimiento que la maldad ha causado?
11. a) ¿Cómo ve Dios la injusticia? b) ¿Qué siente Dios cuando nos ve sufrir?

llenó de maldad (Génesis 6:5, 6). Y Dios no ha cambiado (Malaquías 3:6). Sigue odiando el mal y compadeciéndose de los que sufren. "Él se interesa por ustedes", nos asegura la Biblia (1 Pedro 5:7).

¹² ¿Por qué podemos estar seguros de que a Dios le duele vernos sufrir? Pues bien, veamos otra prueba. La Biblia enseña que él hizo al hombre a su imagen (Génesis 1:26). Por lo tanto, si tenemos buenas cualidades es porque Dios las tiene. Por ejemplo, ¿se conmueve usted cuando ve sufrir a personas inocentes? Si a usted le duelen tales injusticias, tenga la seguridad de que a Dios le duelen mucho más.

¹³ Una de las mejores características del ser humano es su capacidad de amar. También en esto nos parecemos al Creador, ya que, como enseña la Biblia, "Dios es amor" (1 Juan 4:8). Amamos porque Dios ama. Si usted tuviera el poder para acabar con el sufrimiento y las injusticias que vemos en el mundo, ¿verdad que lo haría? ¿Acaso no lo impulsaría su amor a hacerlo? ¡Claro que sí! Pues bien, puede tener la misma seguridad de que Dios eliminará los problemas del mundo. Las promesas que ha leído en el prólogo de este libro no son simples sueños ni esperanzas vanas: las ha hecho Dios y se cumplirán sin falta. Sin embargo, para creer en esas promesas es preciso conocer mejor al Dios que las ha hecho.

Cuando usted quiere presentarse a alguien, ¿verdad que le dice su nombre? Dios nos revela su nombre en la Biblia

12, 13. a) ¿Por qué tenemos cualidades como el amor, y cómo influye el amor en nuestra actitud hacia el sufrimiento que hay en el mundo? b) ¿Por qué podemos estar seguros de que Dios eliminará los problemas mundiales?

La Biblia enseña que Jehová
es el amoroso Creador del universo

DIOS DESEA QUE USTED LO CONOZCA

14 ¿Qué es lo primero que usted hace cuando quiere que alguien lo conozca? ¿Verdad que le dice su nombre? Pues bien, ¿tiene nombre Dios? Muchas religiones enseñan que él se llama "Dios" o "Señor", pero estos no son en realidad nombres propios. Son títulos, como "rey" o "presidente". La Biblia revela que Dios posee muchos títulos, entre ellos "Dios" y "Señor". Pero también enseña que tiene un nombre personal: Jehová. Salmo 83:18 dice así: "Tú, cuyo nombre es Jehová, tú solo eres el Altísimo sobre toda la tierra".

_____

14. ¿Cuál es el nombre de Dios, y por qué debemos usarlo?

Si en su Biblia no aparece este nombre, lo invitamos a ver la razón en el apéndice de este libro, en las páginas 195 a 197. La verdad es que el nombre divino se halla miles de veces en los manuscritos bíblicos antiguos. Por eso, Jehová desea que usted sepa su nombre y lo use. Podría decirse que Dios utiliza la Biblia para que usted sepa quién es él.

[15] El nombre *Jehová*, que Dios mismo se puso, tiene mucho significado. Da a entender que él puede cumplir todas sus promesas y llevar a cabo todo lo que se propone.* El nombre de Dios es único, pues le pertenece exclusivamente a él. En realidad, Jehová es singular de muchas maneras. Veamos algunas.

————

* Hallará más información sobre el significado y la pronunciación del nombre divino en el apéndice, págs. 195-197.

15. ¿Qué significa el nombre *Jehová*?

El amor de un buen padre es un reflejo de un amor mucho mayor: el que nos tiene nuestro Padre celestial

[16] Ya vimos que Salmo 83:18 dice de Jehová: "Tú *solo* eres el Altísimo". Del mismo modo, únicamente a él se le llama "el Todopoderoso". Revelación (o Apocalipsis) 15:3 declara: "Grandes y maravillosas son tus obras, Jehová Dios, el Todopoderoso. Justos y verdaderos son tus caminos, Rey de la eternidad". El título "Todopoderoso" indica que Jehová supera en poder a todos los demás seres. Su fuerza no tiene igual, es suprema. Y el título "Rey de la eternidad" nos recuerda que es singular en otro sentido: es el único que existe desde siempre. En Salmo 90:2 leemos: "Aun de tiempo indefinido a tiempo indefinido [es decir, siempre] tú eres Dios". ¿Verdad que solo pensarlo resulta impresionante?

[17] Hay otra razón por la que Jehová es singular: él es el único Creador. Revelación 4:11 dice: "Digno eres tú, Jehová, nuestro Dios mismo, de recibir la gloria y la honra y el poder, porque tú creaste todas las cosas, y a causa de tu voluntad existieron y fueron creadas". Jehová es el Creador de todo lo que existe: los espíritus invisibles de los cielos, las estrellas que brillan en el firmamento, las frutas que crecen en los árboles, los peces que pueblan mares y ríos, y mucho más.

¿PUEDE USTED ACERCARSE A JEHOVÁ?

[18] Hay quienes se sienten un poco intimidados por las impresionantes cualidades de Jehová. Temen que Dios esté tan alto que nunca puedan acercarse a él o que siquiera le importen. ¿Es correcta esta idea? La Biblia enseña todo lo contrario, pues afirma que Jehová "no está muy lejos de cada uno de nosotros" (Hechos 17:27). Incluso nos hace

16, 17. ¿Qué nos enseñan sobre Jehová los siguientes títulos? a) "Todopoderoso"? b) "Rey de la eternidad"? c) "Creador"?
18. ¿Por qué creen algunas personas que nunca podrán acercarse a Dios, pero qué enseña la Biblia?

esta invitación: "Acérquense a Dios, y él se acercará a ustedes" (Santiago 4:8).

[19] ¿Cómo puede usted acercarse al Creador? Para empezar, no deje de hacer lo que está haciendo ahora mismo: aprender todo lo que pueda acerca de Dios. Jesús dijo: "Esto significa vida eterna, el que estén adquiriendo conocimiento de ti, el único Dios verdadero, y de aquel a quien tú enviaste, Jesucristo" (Juan 17:3). En efecto, según enseña la Biblia, el conocimiento de Jehová y Jesús lleva a la "vida eterna". Ya vimos que "Dios es amor" (1 Juan 4:16). Pero Jehová tiene muchas otras cualidades, todas hermosas y atrayentes. Por ejemplo, la Biblia dice que es "misericordioso y benévolo, tardo para la cólera y abundante en bondad amorosa y verdad" (Éxodo 34:6). Es un Dios "bueno y [...] listo para perdonar" (Salmo 86:5). Es paciente (2 Pedro 3:9). Es leal (Revelación 15:4). A medida que siga leyendo la Biblia, verá que Jehová ha demostrado estas atrayentes cualidades y muchas más.

[20] Es cierto que a Dios no podemos verlo, pues es un espíritu (Juan 1:18; 4:24; 1 Timoteo 1:17). Sin embargo, la Biblia explica cómo es. Tal como dijo el salmista, usted puede "contemplar la agradabilidad de Jehová" (Salmo 27:4; Romanos 1:20). Cuanto más aprenda sobre él, más real será para usted, y más razones tendrá para amarlo y sentirse cerca de él.

[21] Poco a poco irá entendiendo por qué nos anima la Biblia a verlo como nuestro Padre (Mateo 6:9). No solo nos dio la vida, sino que desea que la vivamos del mejor modo posible, lo mismo que todo buen padre quiere para

---

19. a) ¿Cómo podemos acercarnos a Dios, y qué recompensa obtendremos? b) ¿Qué cualidades de Dios le atraen más a usted?
20-22. a) ¿Impide que nos acerquemos a Dios el hecho de que no podamos verlo? Explique su respuesta. b) ¿Qué consejo es posible que le den personas con buenas intenciones, pero qué sería conveniente que usted hiciera?

sus hijos (Salmo 36:9). La Biblia también enseña que los seres humanos podemos ser amigos de Jehová (Santiago 2:23). ¡Imagínese: usted puede ser amigo del Creador del universo!

²² Cuando aprenda más de la Biblia, quizá haya personas que, con buenas intenciones, le aconsejen que deje de estudiarla. Tal vez lo hagan porque les preocupe que usted cambie de creencias. Pero no permita que nadie le impida cultivar la amistad con Dios, la mejor amistad que usted puede tener.

²³ Lógicamente, habrá cosas que no entenderá al principio. Pero no tenga miedo de pedir ayuda. Jesús dijo que es bueno ser humilde como un niño (Mateo 18:2-4). Y ya sabemos que los niños siempre están preguntando. Dios desea que usted encuentre las respuestas. De hecho, la Biblia habla muy bien de ciertas personas de la antigüedad que tenían el intenso deseo de conocer a Dios. Por esa razón, examinaron con cuidado las Escrituras y se aseguraron de que lo que aprendían era la verdad (Hechos 17:11).

²⁴ El mejor modo de conocer a Jehová es examinando la Biblia, un libro diferente de los demás. ¿Qué lo hace distinto? Lo veremos en el próximo capítulo.

23, 24. a) ¿Por qué no debe tener miedo de hacer preguntas sobre lo que está aprendiendo? b) ¿Qué veremos en el próximo capítulo?

LO QUE LA BIBLIA ENSEÑA

- Dios se interesa personalmente por usted (1 Pedro 5:7).

- El nombre de Dios es Jehová (Salmo 83:18).

- Jehová lo invita a acercarse a él (Santiago 4:8).

- Jehová es un Dios de amor, bondad y misericordia (Éxodo 34:6; 1 Juan 4:8, 16).

CAPÍTULO 2

La Biblia proviene de Dios

**¿En qué se diferencia la Biblia
de todos los demás libros?**

**¿De qué maneras nos ayuda la Biblia
a enfrentarnos a los problemas de la vida?**

**¿Qué razones hay para confiar
en las profecías de la Biblia?**

¿RECUERDA usted algún regalo especial que le haya hecho un buen amigo? Seguramente le llenó de alegría y le conmovió. Al fin y al cabo, con ese detalle su amigo demostró que valoraba su amistad, y sin duda usted le dio las gracias.

² Pues bien, la Biblia es un regalo de Dios por el que podemos estar muy agradecidos. Este libro singular revela información que nunca sabríamos de otro modo. Por ejemplo, nos habla de la creación de los cielos y las estrellas, la Tierra y la primera pareja humana. Además, enseña principios confiables que nos permiten enfrentarnos a los problemas y a las inquietudes de la vida. La Biblia también nos explica cómo cumplirá Dios su propósito de que existan mejores condiciones en la Tierra. ¡Qué regalo tan fascinante!

³ La Biblia también es un regalo conmovedor, ya que nos enseña algo sobre la persona que lo hizo, Jehová. Al darnos este libro, Dios demostró que quiere que lo conozcamos bien. De hecho, la Biblia nos ayuda a acercarnos a él.

1, 2. ¿Por qué decimos que la Biblia es un fascinante regalo de Dios?
3. ¿Qué demostró Jehová al proporcionarnos la Biblia, y por qué es conmovedor ese regalo?

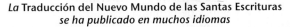

**La Traducción del Nuevo Mundo de las Santas Escrituras
*se ha publicado en muchos idiomas***

⁴ Si usted posee una Biblia, no es el único, ni mucho menos. Este libro se ha publicado, entero o en parte, en más de dos mil trescientos idiomas, así que más del noventa por ciento de la población mundial lo tiene a su alcance. *Cada semana* se distribuye un promedio de más de un millón de ejemplares, y en total se han producido miles de millones de biblias y porciones de las Escrituras. No hay duda de que es un libro sin igual.

⁵ Además, la Biblia "es inspirada de Dios" (2 Timoteo 3:16). ¿Qué significa esta expresión? La propia Biblia lo aclara: "Hombres hablaron de parte de Dios al ser llevados por espíritu santo" (2 Pedro 1:21). Es como cuando un jefe le pide a su secretaria que escriba una carta. Puesto que las ideas o instrucciones son del jefe, la carta es *de él*, no de la secretaria. De igual modo, la Biblia contiene el mensaje de Dios, no el de los hombres que la escribieron. Por consiguiente, toda la Biblia es verdaderamente "la palabra de Dios" (1 Tesalonicenses 2:13).

4. ¿Qué cifras sobre la distribución de la Biblia le llaman la atención?
5. ¿Qué significa que la Biblia sea "inspirada de Dios"?

UN LIBRO EXACTO Y SIN CONTRADICCIONES

⁶ La Biblia fue escrita durante un período de mil seiscientos años por hombres de diferentes épocas, condiciones sociales y profesiones: desde agricultores, pescadores y pastores, hasta profetas, jueces y reyes. Asimismo, el escritor de uno de los Evangelios, Lucas, era médico. Pero a pesar de los distintos orígenes de estos hombres, la Biblia enseña las mismas ideas desde la primera página hasta la última, y no se contradice.*

⁷ El primer libro de la Biblia relata cómo empezaron los problemas de la humanidad, mientras que el último muestra que toda la Tierra se convertirá en un paraíso, o jardín. Las páginas de la Biblia abarcan miles de años de historia, y su contenido siempre tiene que ver de algún modo con el cumplimiento del propósito de Dios. Esta unidad de ideas es impresionante, como esperaríamos de un libro que proviene de Dios.

⁸ La Biblia también es exacta desde el punto de vista científico. Incluso se adelantó mucho a su tiempo. Por ejemplo, el libro de Levítico contenía leyes para el antiguo Israel sobre la cuarentena y la higiene, cuestiones que las naciones vecinas de la época desconocían por completo. Además, en un tiempo en que existían ideas equivocadas sobre la forma de la Tierra, la Biblia indicó que tenía forma de círculo, o esfera (Isaías 40:22). También afirmó con exactitud que 'cuelga sobre nada' (Job 26:7). Claro, la Biblia no es un libro de ciencia, pero es exacta cuando trata

---

* Hay quienes dicen que ciertos pasajes de la Biblia se contradicen entre sí, pero estas afirmaciones no tienen ninguna base. Consulte el cap. 7 del libro *La Biblia... ¿la Palabra de Dios, o palabra del hombre?*, editado por los testigos de Jehová.

6, 7. ¿Por qué es realmente notable la unidad de ideas que hay en la Biblia?
8. Dé ejemplos de la exactitud científica de la Biblia.

temas científicos. ¿No es eso lo que esperaríamos de un libro procedente de Dios?

⁹ La Biblia también es exacta y confiable cuando aporta datos históricos. Sus relatos son específicos, y no solo indican los nombres de los personajes, sino también los de sus antepasados.* A diferencia de muchos historiadores, que a menudo no mencionan las derrotas de sus pueblos, los escritores de la Biblia fueron tan honrados que hasta pusieron por escrito sus propias faltas y las de su nación. Por ejemplo, Moisés confesó en el libro bíblico de Números un grave error por el que fue censurado con severidad (Números 20:2-12). Esta honradez es muy poco frecuente en otras obras históricas, pero la hallamos en la Biblia por una razón: porque es un libro que proviene de Dios.

UN LIBRO DE CONSEJOS PRÁCTICOS

¹⁰ Puesto que Dios la inspiró, la Biblia es "provechosa para enseñar, para censurar, para rectificar las cosas" (2 Timoteo 3:16). Es un libro práctico. Se nota en sus páginas que el Autor comprende a la perfección la naturaleza de los seres humanos. Y no es de extrañar, pues dicho Autor es el propio Jehová Dios, nuestro Creador. Él entiende lo que pensamos y sentimos incluso mejor que nosotros mismos. Además, sabe lo que necesitamos para ser felices, y también la conducta que nos conviene evitar.

¹¹ Piense en el Sermón del Monte, el discurso de Jesús

_____

* Por ejemplo, observe en Lucas 3:23-38 la detallada lista de antepasados de Jesús.

_____

9. a) ¿Qué muestra que la Biblia es exacta y confiable cuando aporta datos históricos? b) ¿Por qué razón fueron tan honrados los escritores de la Biblia?
10. ¿Por qué no es de extrañar que la Biblia sea un libro práctico?
11, 12. a) ¿Qué temas trató Jesús en el Sermón del Monte? b) ¿Qué otros temas prácticos toca la Biblia, y por qué sus consejos siempre han sido y serán provechosos?

El escritor bíblico Isaías predijo la caída de Babilonia

que se encuentra en los capítulos 5 a 7 de Mateo. En esta obra maestra de la enseñanza, Jesús trató muchos temas, entre ellos cómo hallar la felicidad, cómo solucionar las disputas, cómo orar y qué actitud debemos tener hacia los bienes materiales. Pues bien, sus palabras tienen hoy la misma fuerza y utilidad que el día que las pronunció.

[12] Algunos principios de la Biblia tienen que ver con temas como la familia, el trabajo y el trato con los demás.

Sus consejos van dirigidos a todo el mundo y son siempre provechosos. La sabiduría que contienen sus páginas queda resumida en estas palabras que Dios expresó a través del profeta Isaías: "Yo, Jehová, soy tu Dios, Aquel que te enseña para que te beneficies a ti mismo" (Isaías 48:17).

UN LIBRO DE PROFECÍAS

[13] La Biblia contiene numerosas profecías, muchas de las cuales ya se han cumplido. Veamos un ejemplo. Por medio del profeta Isaías —quien vivió más de setecientos años antes de nuestra era—, Jehová predijo lo que le ocurriría a la ciudad de Babilonia: sería destruida (Isaías 13:19; 14:22, 23). Pero además explicó *cómo* sucedería. Los ejércitos invasores secarían el río que pasaba por la ciudad y entrarían en ella sin tener que pelear. Y eso no es todo. La profecía reveló incluso el nombre del rey que conquistaría Babilonia: Ciro (Isaías 44:27–45:2).

[14] Unos doscientos años después, en la noche del 5 al 6 de octubre del año 539 antes de nuestra era, un ejército se hallaba acampado cerca de Babilonia. ¿Quién lo comandaba? Un rey persa llamado Ciro. En efecto, todo estaba dispuesto para que se cumpliera la asombrosa profecía. Pero ¿conseguiría el ejército de Ciro conquistar la ciudad sin siquiera pelear, como se había predicho?

[15] Los babilonios estaban celebrando una fiesta aquella noche y se sentían seguros tras las enormes murallas de la ciudad. Mientras tanto, Ciro ingeniosamente desvió las aguas del río que cruzaba Babilonia, de modo que el nivel del agua bajó lo suficiente como para que sus hombres se acercaran a las murallas avanzando por el cauce. Sin embargo, ¿cómo lograron atravesar las murallas?

---

13. ¿Qué información acerca de Babilonia hizo Jehová que escribiera el profeta Isaías por inspiración?
14, 15. ¿Cómo se cumplieron algunos detalles de la profecía de Isaías sobre Babilonia?

¡Las puertas de la ciudad se habían dejado abiertas por descuido!

¹⁶ Jehová había dicho lo siguiente acerca de Babilonia: "Nunca será habitada, ni residirá por generación tras generación. Y allí el árabe no asentará su tienda, y no habrá pastores que dejen que sus rebaños se echen allí" (Isaías 13:20). La profecía no solo indicó que la ciudad caería, sino también que quedaría deshabitada *para siempre*. Usted puede comprobar que estas palabras se han cumplido. A unos 80 kilómetros al sur de Bagdad, la capital de Irak, se encuentran los restos de la antigua Babilonia. El lugar está deshabitado, lo que da prueba de que se realizó la predicción que Jehová había hecho mediante Isaías: "La barreré con la escoba de la aniquilación" (Isaías 14:22, 23).*

_____

* Encontrará más información sobre las profecías de la Biblia en las págs. 27-29 del folleto *Un libro para todo el mundo,* editado por los testigos de Jehová.

_____

16. a) Según predijo Isaías, ¿qué le ocurriría finalmente a Babilonia? b) ¿Cómo se cumplió la profecía de Isaías que predijo que Babilonia quedaría deshabitada?

¹⁷ ¿Verdad que fortalece la fe comprobar que la Biblia es un libro de profecías confiables? Ciertamente, el que Jehová Dios haya cumplido sus promesas en el pasado nos da la seguridad de que también cumplirá su promesa de convertir la Tierra en un paraíso (Números 23:19). En efecto, tenemos la "esperanza de la vida eterna que Dios, que no puede mentir, prometió antes de tiempos de larga duración" (Tito 1:2).*

"LA PALABRA DE DIOS ES VIVA"

¹⁸ Lo que hemos visto en este capítulo no deja dudas de

---

* La destrucción de Babilonia es solo un ejemplo de cómo se han cumplido muchas profecías bíblicas. Otros ejemplos son la destrucción de las ciudades de Tiro y Nínive (Ezequiel 26:1-5; Sofonías 2:13-15). Además, el profeta Daniel predijo cuáles serían los imperios mundiales que surgirían después de Babilonia, entre ellos Medopersia y Grecia (Daniel 8:5-7, 20-22). En el apéndice, págs. 199-201, encontrará información sobre las numerosas profecías respecto al Mesías que se cumplieron en Jesucristo.

17. ¿Por qué fortalece la fe el cumplimiento de las profecías bíblicas?
18. ¿Qué impactante afirmación hizo el apóstol Pablo sobre "la palabra de Dios"?

Ruinas de Babilonia

que la Biblia es un libro realmente único. Pero su valor no solo se debe a su unidad de ideas, exactitud científica e histórica, consejos prácticos y profecías confiables. Todavía ofrece mucho más. El apóstol Pablo escribió: "La palabra de Dios es viva, y ejerce poder, y es más aguda que toda espada de dos filos, y penetra hasta dividir entre alma y espíritu, y entre coyunturas y su tuétano, y puede discernir pensamientos e intenciones del corazón" (Hebreos 4:12).

[19] La lectura de "la palabra" o mensaje de Dios que se halla en la Biblia puede cambiar nuestra vida. Nos ayuda a examinarnos como nunca antes. No basta con decir que amamos a Dios. En realidad, lo que revelará nuestros verdaderos pensamientos e intenciones será la forma en que respondamos a las enseñanzas de su Palabra inspirada, la Biblia.

[20] La Biblia realmente proviene de Dios. Debemos leerla, estudiarla y amarla. Siga examinándola y así demostrará que agradece este regalo divino. Además, apreciará la importancia que tiene el propósito de Dios para la humanidad. En el capítulo siguiente veremos cuál es ese propósito y cómo se hará realidad.

19, 20. a) ¿Cómo nos ayuda la Biblia a examinarnos? b) ¿De qué modo puede usted demostrar su gratitud por la Biblia, el singular regalo que Dios nos ha hecho?

LO QUE LA BIBLIA ENSEÑA

- Dios inspiró la Biblia, y por eso es exacta y confiable (2 Timoteo 3:16).

- Los consejos de la Biblia son prácticos para la vida diaria (Isaías 48:17).

- Las promesas de Dios que se hallan en la Biblia se cumplirán sin falta (Números 23:19).

CAPÍTULO 3

¿Qué propósito tiene Dios para la Tierra?

¿Cuál es el propósito de Dios para la humanidad?
¿Qué desafío se ha lanzado contra Dios?
¿Cómo será en el futuro la vida en la Tierra?

DIOS tiene un maravilloso propósito para la Tierra: llenarla de personas que sean felices y disfruten de buena salud. La Biblia relata que "Dios plantó un jardín en Edén" y que "hizo crecer [...] todo árbol deseable a la vista de uno y bueno para alimento". Después creó a nuestros primeros padres, Adán y Eva, los puso en ese hermoso hogar y les dijo: "Sean fructíferos y multiplíquense; llenen la tierra y sométanla" (Génesis 1:28, *Nueva Versión Internacional*; 2:8, 9, 15). Como vemos, su objetivo era que los seres humanos tuvieran hijos, extendieran aquel jardín por toda la Tierra y cuidaran de los animales.

² ¿Cree usted que algún día se hará realidad el propósito de Jehová de que la gente viva en un paraíso terrestre? Pues bien, él ha prometido: "Lo he hablado; también lo haré" (Isaías 46:9-11; 55:11). En efecto, el Creador cumplirá sin falta todo lo que se ha propuesto. Él mismo señala que no creó la Tierra "sencillamente para nada", sino "para ser habitada" (Isaías 45:18). ¿Qué clase de personas quería Dios que vivieran en este planeta, y por cuánto

---

1. ¿Qué propósito tiene Dios para la Tierra?
2. a) ¿Por qué podemos estar seguros de que se hará realidad el propósito de Dios para la Tierra? b) Según la Biblia, ¿qué clase de personas vivirán para siempre?

tiempo? La Biblia responde: "Los *justos* mismos poseerán la tierra, y *residirán para siempre sobre ella*" (Salmo 37:29; Revelación [Apocalipsis] 21:3, 4).

[3] Obviamente, esa promesa aún no se ha cumplido. Los seres humanos se enferman y mueren; es más, luchan y se matan unos a otros. Está claro que las cosas tomaron otro rumbo. Sin lugar a dudas, Jehová nunca quiso que la Tierra estuviera como la vemos hoy. ¿Qué sucedió? ¿Por qué no se ha cumplido el propósito de Dios? Las respuestas no se encuentran en ninguno de los libros de historia que ha escrito el hombre, ya que el problema comenzó en los cielos.

EL ORIGEN DE UN ENEMIGO

[4] El primer libro de la Biblia nos dice que en el jardín de Edén apareció en escena un enemigo de Dios. Aunque se le llama "la serpiente", no se trata de un simple animal. El último libro de la Biblia lo identifica como "el que es llamado Diablo y Satanás, que está extraviando [o engañando] a toda la tierra habitada". También se le llama "la serpiente *original*" (Génesis 3:1; Revelación 12:9). En efecto, es un poderoso ángel, un espíritu invisible que utilizó a una serpiente para hablar con Eva, tal como un artista logra que su voz parezca salir de un muñeco. Sin duda, ese mismo ángel estuvo presente cuando Dios preparó la Tierra para los seres humanos (Job 38:4, 7).

[5] Sabemos que todo lo que Jehová crea es perfecto. Entonces, ¿quién hizo al ser que llamamos "Diablo" y "Satanás"? En pocas palabras, *un poderoso ángel de Dios se convirtió en el Diablo por voluntad propia.* ¿Cómo pudo su-

---

3. ¿Qué lamentables condiciones vemos en la Tierra, y qué preguntas es lógico hacerse?

4, 5. a) ¿Quién fue el que habló con Eva mediante una serpiente? b) ¿Cómo pudiera alguien honrado convertirse en ladrón?

ceder tal cosa? Del mismo modo que alguien puede ser hoy honrado y mañana convertirse en ladrón. ¿Cómo ocurre eso? La persona quizá permita que brote en su corazón un mal deseo. *Si sigue pensando en él,* ese mal deseo puede hacerse muy intenso. Luego, si se le presenta la ocasión, la persona tal vez termine haciendo lo que ha estado pensando (Santiago 1:13-15).

⁶ Eso fue lo que ocurrió en el caso de Satanás. Seguramente escuchó a Jehová decirles a Adán y Eva que tuvieran hijos y llenaran la Tierra con sus descendientes (Génesis 1: 27, 28). Al parecer pensó: "¡Todos estos seres humanos podrían adorarme a mí en vez de a Dios!". Ese deseo malo echó raíces en su corazón y, con el tiempo, lo llevó a engañar a Eva diciéndole mentiras sobre Dios (Génesis 3:1-5). Así, aquel ángel se convirtió en "Diablo", nombre que significa "Calumniador". Al mismo tiempo llegó a ser "Satanás", nombre que quiere decir "Opositor".

⁷ Con embustes y trampas, Satanás consiguió que Adán y Eva desobedecieran a Dios (Génesis 2:17; 3:6). El resultado fue que ambos terminaron muriendo, tal como Dios les había advertido (Génesis 3:17-19). Puesto que Adán se hizo imperfecto cuando pecó, todos sus descendientes heredaron el pecado (Romanos 5:12). La situación puede compararse a un molde de hacer pan que se ha abollado o deformado debido a un golpe. ¿Cómo saldrán todos los panes que se hagan con él? Imperfectos, marcados por la misma abolladura. De igual modo, todos los seres humanos nacemos marcados por la "abolladura" de la imperfección de Adán. Esta es la razón por la que envejecemos y morimos (Romanos 3:23).

----

6. ¿Cómo se convirtió en Satanás y Diablo un poderoso ángel de Dios?
7. a) ¿Por qué murieron Adán y Eva? b) ¿Por qué envejecemos y morimos todos los descendientes de Adán?

⁸ Cuando Satanás animó a Adán y Eva a pecar contra Dios, en realidad se convirtió en el cabecilla de una rebelión. Desafió a Jehová, pues criticó la forma que tiene de gobernar. Fue como si dijera: "Es un mal rey que miente a sus súbditos y les impide disfrutar de cosas buenas. Los

8, 9. a) Según indican los hechos, ¿qué desafío planteó Satanás? b) ¿Por qué no destruyó Dios de inmediato a los rebeldes?

¿Cómo podría Satanás haberle ofrecido a Jesús todos los reinos del mundo si no fueran suyos?

seres humanos no necesitan que él los gobierne, sino que pueden decidir por su cuenta lo que está bien y lo que está mal. En realidad, saldrán ganando si me obedecen a mí". ¿Cómo respondería Dios a una acusación tan insultante? Hay quienes creen que debería haber dado muerte a los rebeldes. Pero ¿habría demostrado así que Satanás mentía? ¿Habría probado que su modo de gobernar es bueno?

⁹ Jehová tiene un sentido perfecto de la justicia. Por ello, no podía destruir de inmediato a los rebeldes. Más bien, decidió que se necesitaba tiempo para dar una respuesta satisfactoria al desafío de Satanás y demostrar que es un embustero. Por lo tanto, determinó que durante cierto plazo permitiría que los seres humanos se gobernaran a sí mismos bajo la influencia de Satanás. En el capítulo 11 de este libro se explica por qué actuó así y por qué ha dejado pasar tanto tiempo para resolver estas cuestiones. Pero ahora pregúntese: ¿tenían alguna razón Adán y Eva para creer a Satanás, quien nunca había hecho nada por ellos? ¿Hicieron bien en pensar que Jehová, quien les había dado todo lo que tenían, era un cruel mentiroso? ¿Qué habría hecho usted?

¹⁰ Conviene que meditemos en estas preguntas, pues todos nos enfrentamos hoy a cuestiones parecidas. En efecto, usted tiene la oportunidad de ponerse de parte de Jehová y así responder al desafío de Satanás. Puede aceptar a Dios como su Gobernante y de ese modo demostrar que el Diablo es un mentiroso (Salmo 73:28; Proverbios 27:11). Por desgracia, aunque en este planeta hay miles de millones de habitantes, solo unos pocos toman esa decisión. Este hecho nos lleva a plantearnos una pregunta importante: ¿enseña realmente la Biblia que Satanás gobierna este mundo?

10. ¿Cómo puede usted ponerse de parte de Jehová y responder al desafío de Satanás?

¿QUIÉN GOBIERNA ESTE MUNDO?

[11] Jesús nunca tuvo dudas de que Satanás es el gobernante de este mundo. En cierta ocasión, el Diablo le mostró de forma milagrosa "todos los reinos del mundo y su gloria", y le prometió: "Todas estas cosas te las daré si caes y me rindes un acto de adoración" (Mateo 4:8, 9; Lucas 4: 5, 6). Piense en ello. Si Satanás no fuera el dueño de esos reinos, ¿habría sido una verdadera *tentación* para Jesús aquella oferta? Además, Jesús no negó que le pertenecieran al Diablo, lo que obviamente habría hecho si no estuvieran bajo el control de este enemigo de Dios.

[12] Claro está, Jehová es el Dios todopoderoso, el Creador del imponente universo (Revelación 4:11). Sin embargo, en ningún lugar la Biblia lo llama gobernante de este mundo, y lo mismo puede decirse de Jesucristo. De hecho, fue al Diablo a quien Jesús llamó "el gobernante de este mundo" (Juan 12:31; 14:30; 16:11). Y la Biblia incluso asegura que ese opositor, o Satanás, es "el dios de este sistema de cosas" (2 Corintios 4:3, 4). El apóstol Juan se refirió a él cuando escribió: "El mundo entero yace en el poder del inicuo [o maligno]" (1 Juan 5:19).

EL FIN DEL MUNDO DE SATANÁS

[13] Cada año que pasa, el mundo se vuelve más peligroso. Está lleno de ejércitos en guerra, políticos corruptos, líderes religiosos hipócritas y criminales despiadados. En conjunto, este mundo malvado no tiene remedio. La Biblia revela que pronto Dios lo destruirá en la guerra de Armagedón, y esto dará paso a un nuevo mundo justo (Revelación 16:14-16).

11, 12. a) ¿Cómo demuestra que Satanás es el gobernante de este mundo una tentación a la que se enfrentó Jesús? b) ¿Qué otras pruebas hay de que Satanás es el gobernante de este mundo?
13. ¿Por qué se necesita un nuevo mundo?

¹⁴ Jehová eligió a Jesucristo como Rey de su gobierno celestial, el Reino de Dios. Hace mucho tiempo, la Biblia predijo: "Un niño nos ha nacido, un hijo nos ha sido dado, y el gobierno reposará sobre sus hombros; y se llamará [...] Príncipe de Paz. El aumento de su gobierno y [el] de la paz no tendrán fin" (Isaías 9:6, 7, *La Biblia de las Américas,* notas). Jesús enseñó a sus discípulos a incluir ese gobierno en sus oraciones, al decir: "Venga tu reino. Efectúese tu voluntad, como en el cielo, también sobre la tierra" (Mateo 6:10). Como veremos más adelante, el Reino de Dios pronto acabará con todos los gobiernos de este mundo y los reemplazará (Daniel 2:44). Y entonces convertirá la Tierra en un paraíso.

¡SE ACERCA UN NUEVO MUNDO!

¹⁵ La Biblia nos asegura que "hay nuevos cielos y una nueva tierra que esperamos según [la] promesa [de Dios], y en estos la justicia habrá de morar" (2 Pedro 3:13; Isaías 65:17). Cuando la Biblia habla de la "tierra", a veces se refiere a sus habitantes (Génesis 11:1). Por lo tanto, la justa "nueva tierra" es una sociedad formada por personas que reciben la aprobación divina.

¹⁶ Jesús prometió que, cuando llegue el nuevo mundo, Dios dará un magnífico regalo a las personas que aprueba: la "vida eterna" (Marcos 10:30). Tenga la bondad de buscar en su Biblia Juan 3:16 y 17:3, y leer lo que dijo Jesús que debemos hacer para conseguir la vida eterna. Ahora veamos en la Biblia las bendiciones que tendrán en el Paraíso terrestre quienes reciban ese maravilloso regalo divino.

---

14. ¿A quién eligió Dios como Rey de su Reino celestial, y cómo se predijo este nombramiento?
15. ¿Qué es la "nueva tierra"?
16. ¿Qué extraordinario regalo hará Dios a las personas que aprueba, y qué debemos hacer para recibirlo?

[17] *La maldad, la guerra, el delito y la violencia ya no existi-rán.* "El inicuo [o malvado] ya no será [...]. Pero los mansos mismos poseerán la tierra." (Salmo 37:10, 11.) Habrá paz, pues Dios hará "cesar las guerras hasta la extremidad de la tierra" (Salmo 46:9; Isaías 2:4). Cuando llegue ese momen-to, "el justo brotará" y habrá "abundancia de paz hasta que la luna ya no sea", es decir, para siempre (Salmo 72:7).

[18] *Los siervos de Jehová vivirán seguros.* En tiempos bíbli-cos, cuando la nación de Israel obedecía a Dios, disfrutaba de seguridad (Levítico 25:18, 19). ¡Qué maravilla será dis-frutar de una seguridad similar en el Paraíso! (Isaías 32:18; Miqueas 4:4.)

[19] *Ya no escasearán los alimentos.* "Llegará a haber abun-dancia de grano en la tierra; en la cima de las montañas habrá sobreabundancia", cantó el salmista (Salmo 72:16). Jehová Dios bendecirá a quienes son fieles a él, y "la tierra misma ciertamente dará su producto" (Salmo 67:6).

[20] *Toda la Tierra se transformará en un paraíso.* Hermo-sos hogares y jardines ocuparán los terrenos que la mal-dad del hombre ha echado a perder (Isaías 65:21-24; Revelación 11:18). Con el transcurso del tiempo, se irán transformando más y más zonas de la Tierra, y el pla-neta entero será tan bello y productivo como el jardín de Edén. Por toda la eternidad, Dios estará "abriendo [su] mano y satisfaciendo el deseo de toda cosa viviente" (Sal-mo 145:16).

[21] *Habrá paz entre el hombre y los animales.* Los animales

17, 18. ¿Por qué podemos tener la certeza de que habrá paz y segu-ridad en toda la Tierra?
19. ¿Qué garantía tenemos de que Dios se encargará de que haya ali-mentos en abundancia en el nuevo mundo?
20. ¿Por qué podemos estar seguros de que toda la Tierra se transfor-mará en un paraíso?
21. ¿Qué indica que habrá paz entre el hombre y los animales?

salvajes y domésticos comerán juntos. Ni siquiera un niño pequeño tendrá nada que temer de animales que ahora son peligrosos (Isaías 11:6-9; 65:25).

²² *Desaparecerán las enfermedades.* Como Rey del Reino celestial de Dios, Jesús efectuará curaciones a una escala mucho más grandiosa que cuando estuvo en la Tierra (Mateo 9:35; Marcos 1:40-42; Juan 5:5-9). "Ningún residente dirá: 'Estoy enfermo'." (Isaías 33:24; 35:5, 6.)

²³ *Los seres queridos que han muerto volverán a la vida y tendrán la oportunidad de no morir nunca.* Resucitarán todos los que duermen en la muerte y están en la memoria de Dios. Efectivamente, "va a haber resurrección así de justos como de injustos" (Hechos 24:15; Juan 5:28, 29).

²⁴ Un futuro brillante aguarda a los que deseen ampliar sus conocimientos sobre nuestro Gran Creador, Jehová, y decidan servirle. Jesús se refirió al venidero Paraíso terrestre cuando hizo esta promesa al malhechor que murió a su lado: "Estarás conmigo en el Paraíso" (Lucas 23:43). Es vital que aprendamos más acerca de Jesucristo, pues todas estas bendiciones se harán realidad mediante él.

---

22. ¿Qué sucederá con las enfermedades?
23. ¿Por qué será la resurrección un motivo de gran alegría?
24. ¿Qué le parece la idea de vivir en una Tierra hecha un Paraíso?

LO QUE LA BIBLIA ENSEÑA

- Dios cumplirá su propósito de convertir la Tierra en un paraíso (Isaías 45:18; 55:11).
- Satanás es quien gobierna el mundo en la actualidad (Juan 12:31; 1 Juan 5:19).
- Cuando llegue el nuevo mundo, Dios colmará a la humanidad de bendiciones (Salmo 37:10, 11, 29).

CAPÍTULO 4

¿Quién es Jesucristo?

¿Qué papel singular cumple Jesús?
¿De dónde vino?
¿Qué clase de persona fue?

EN EL mundo hay muchas personas famosas. Algunas son muy conocidas en su propia comunidad, ciudad o nación, y otras en el mundo entero. Pero el hecho de que usted sepa el nombre de alguien famoso no significa que *conozca* a esa persona, es decir, que esté enterado de los detalles de su pasado o de cómo es en realidad.

² Aunque ya han pasado unos dos mil años desde que Jesucristo vivió en la Tierra, en todo el mundo se habla de él. Sin embargo, existe mucha confusión sobre quién fue en realidad. Algunos dicen que fue tan solo un hombre bueno. Otros piensan que no fue más que un profeta. Y hay quienes creen que Jesús es Dios y debemos adorarlo. ¿Será esto cierto?

³ Es importante que usted sepa la verdad sobre Jesús. ¿Por qué? Porque la Biblia dice: "Esto significa vida eterna, el que estén adquiriendo conocimiento de ti, el único Dios verdadero, *y de aquel a quien tú enviaste, Jesucristo*" (Juan 17:3). En efecto, conocer la verdad sobre Jehová Dios y sobre Jesucristo puede llevarle a vivir para siempre en un paraíso terrestre (Juan 14:6). Además, Jesús dio el mejor ejemplo de cómo se debe vivir y tratar al prójimo (Juan 13:

1, 2. a) ¿Por qué no es lo mismo haber oído hablar de alguien famoso que *conocerlo* bien? b) ¿Qué confusión existe sobre Jesús?
3. ¿Por qué es importante que usted sepa la verdad sobre Jesús?

34, 35). En el primer capítulo de este libro vimos cuál es la verdad acerca de Dios. Veamos ahora lo que enseña la Biblia acerca de Jesucristo.

EL MESÍAS PROMETIDO

⁴ Mucho antes de que Jesús naciera, la Biblia predijo la llegada del enviado de Dios, el llamado Mesías o Cristo. Los títulos *Mesías* (derivado de una palabra hebrea) y *Cristo* (derivado de una palabra griega) significan "Ungido". De modo que el enviado prometido sería ungido, es decir, nombrado por Dios para ocupar una posición especial. En otros capítulos de este libro veremos con más detalle que el Mesías tiene un

4. ¿Qué significan los títulos *Mesías* y *Cristo*?

Cuando Jesús se bautizó, se convirtió en el Mesías, o Cristo

importantísimo papel en el cumplimiento de las promesas divinas. También veremos que Jesús puede bendecirnos incluso hoy en día. Seguramente, ya antes de que Jesús naciera, muchas personas se preguntaban: "¿Quién será el Mesías?".

⁵ En el siglo primero de nuestra era, los discípulos de Jesús de Nazaret estaban totalmente convencidos de que él era el Mesías predicho (Juan 1:41). Uno de ellos, Simón Pedro, le dijo sin rodeos: "Tú eres el Cristo" (Mateo 16:16). Ahora bien, ¿por qué estaban tan seguros aquellos discípulos de que Jesús era en verdad el Mesías prometido? ¿Y por qué podemos estar seguros nosotros?

⁶ Los profetas de Dios que vivieron antes que Jesús predijeron muchos detalles que ayudarían a identificar al Mesías. Por poner una comparación: suponga que usted tuviera que ir a buscar a un desconocido a una concurrida estación de autobuses o de trenes, o a un aeropuerto. ¿Verdad que le vendría bien conocer algunas características de la persona? Pues bien, mediante los profetas bíblicos, Jehová dio una descripción bastante detallada de lo que haría el Mesías y de las cosas que le sucederían. De este modo, las personas fieles podrían reconocerlo sin ninguna duda cuando vieran cumplirse todas esas profecías.

⁷ Veamos un par de ejemplos. El primero es el siguiente: más de setecientos años antes de que ocurriera, el profeta Miqueas predijo que el enviado prometido nacería en Belén, un pequeño pueblo de la tierra de Judá (Miqueas 5:2). Pues bien, ¿dónde nació Jesús? Justo en ese lugar (Mateo 2: 1, 3-9). El segundo ejemplo es la profecía de Daniel 9:25, que con muchos siglos de antelación permitía calcular el

---

5. ¿De qué estaban totalmente convencidos los discípulos de Jesús?
6. ¿Qué comparación nos permite entender cómo ha ayudado Jehová a las personas fieles a identificar al Mesías?
7. Mencione dos de las profecías que se cumplieron en Jesús.

año exacto en que se presentaría el Mesías: el año 29 de nuestra era.* El cumplimiento de estas y otras profecías demuestra que Jesús era el Mesías prometido.

⁸ A finales del año 29 se demostró aún más claramente que Jesús era el Mesías. Fue entonces cuando él le pidió a Juan el Bautista que lo bautizara en el río Jordán. Jehová había prometido a Juan que le daría una señal para que pudiera reconocer al Mesías, y se la dio en el bautismo de Jesús. La Biblia relata: "Después que Jesús fue bautizado, inmediatamente salió del agua; y, ¡mire!, los cielos se abrieron, y él vio descender como paloma el espíritu de Dios que venía sobre él. ¡Mire! También hubo una voz desde los cielos que decía: 'Este es mi Hijo, el amado, a quien he aprobado'" (Mateo 3:16, 17). Cuando Juan vio y escuchó aquello, no tuvo ninguna duda de que Jesús era el enviado de Dios (Juan 1:32-34). Aquel día, cuando el espíritu santo —es decir, la fuerza activa de Dios— se derramó sobre él, Jesús llegó a ser el Mesías, o Cristo, la persona elegida para ser Caudillo y Rey (Isaías 55:4).

⁹ Las profecías bíblicas que se han cumplido y el testimonio que Jehová mismo dio prueban claramente que Jesús era el Mesías prometido. Pero la Biblia contesta otras dos preguntas importantes sobre Jesucristo: de dónde vino y qué clase de persona fue.

¿DE DÓNDE VINO JESÚS?

¹⁰ La Biblia enseña que Jesús vivió en el cielo antes de venir a la Tierra. Por ejemplo, además de predecir que el

---

* En el apéndice de este libro, págs. 197-199, se explica cómo se cumplió en Jesús la profecía de Daniel.

8, 9. ¿De qué manera se demostró más claramente en el bautismo de Jesús que él era el Mesías?
10. ¿Qué enseña la Biblia sobre la existencia de Jesús antes de que viniera a la Tierra?

Mesías nacería en Belén, el profeta Miqueas indicó que su origen tuvo lugar en "tiempos tempranos" (Miqueas 5:2). De hecho, el propio Jesús dijo en muchas ocasiones que antes de nacer como hombre había vivido en el cielo (Juan 3:13; 6:38, 62; 17:4, 5). Allí era una criatura espiritual que disfrutaba de una relación especial con Jehová.

[11] Por muchas razones, Jesús es el hijo más querido de Jehová. La Biblia lo llama "el primogénito de toda la creación", pues él fue lo primero que Dios creó (Colosenses 1:15).* Otra cosa que lo hace especial es el hecho de ser el "Hijo unigénito" (Juan 3:16). Esto significa que es el único a quien Dios creó directamente. También es el único que colaboró con Jehová en la creación de todas las demás cosas (Colosenses 1:16). Además, se le llama "la Palabra" (Juan 1:14). Este título muestra que era el encargado de hablar en nombre de su Padre. Seguramente daba mensajes e instrucciones a los demás hijos de Dios, tanto a ángeles como a seres humanos.

[12] ¿Es el Hijo primogénito igual a Dios, como algunos creen? Eso no es lo que la Biblia enseña. Como vimos en el párrafo anterior, el Hijo fue creado. Por lo tanto, es obvio que tuvo un principio, mientras que Jehová no tiene ni principio ni fin (Salmo 90:2). Al Hijo unigénito ni siquiera se le ocurrió tratar de igualarse a su Padre. La Biblia enseña claramente que el Padre es mayor que el Hijo (Juan 14:28; 1 Corintios 11:3). Solo Jehová es el "Dios

---

* A Jehová se le llama Padre porque es el Creador (Isaías 64:8). Puesto que Jesús fue creado por Dios, recibe el nombre de Hijo de Dios. Por la misma razón, a otros espíritus e incluso a Adán se les llama hijos de Dios (Job 1:6; Lucas 3:38).

11. ¿Cómo muestra la Biblia que Jesús es el Hijo más querido de Jehová?
12. ¿Qué pruebas tenemos de que el Hijo primogénito no es igual a Dios?

Todopoderoso" (Génesis 17:1). Por consiguiente, no tiene igual.*

[13] Jehová y su Hijo primogénito disfrutaron de una relación muy estrecha durante millones y millones de años, mucho antes de la creación de las estrellas y la Tierra. ¡Qué gran amor deben de haberse tenido! (Juan 3:35; 14:31.) Este Hijo querido era tal como su Padre. Por esa razón, la Biblia dice que él es "la imagen del Dios invisible" (Colosenses 1:15). En efecto, igual que los hijos suelen parecerse a sus padres de muchas maneras, este Hijo celestial de Dios también reflejaba las cualidades y la personalidad de su Padre.

[14] El Hijo unigénito de Jehová dejó voluntariamente el cielo para venir a la Tierra y ser hombre. Pero quizá usted se pregunte: "¿Cómo fue posible que un espíritu naciera como ser humano?". Pues bien, Jehová realizó un milagro. Hizo que la vida de su Hijo primogénito, que estaba en el cielo, pasara a la matriz de una virgen judía llamada María. Puesto que no intervino ningún padre humano, ella dio a luz un hijo perfecto, al que puso por nombre Jesús (Lucas 1:30-35).

¿QUÉ CLASE DE PERSONA FUE JESÚS?

[15] Todo lo que Jesús hizo y dijo mientras estuvo en la Tierra nos ayuda a conocerlo bien. Y, lo que es más, por medio de él podemos conocer mejor a Jehová. ¿De qué

---

* En el apéndice de este libro, págs. 201-204, hallará más pruebas de que el Hijo primogénito no es igual a Dios.

---

13. ¿Qué quiere decir la Biblia cuando afirma que el Hijo es "la imagen del Dios invisible"?
14. ¿De qué manera llegó a nacer como hombre el Hijo unigénito de Jehová?
15. ¿De qué manera llegamos a conocer mejor a Jehová por medio de Jesús?

manera? Recuerde que este Hijo es la viva imagen de su Padre. Por eso le dijo a uno de sus discípulos: "El que me ha visto a mí ha visto al Padre también" (Juan 14:9). En los cuatro libros de la Biblia que se conocen como los Evangelios —Mateo, Marcos, Lucas y Juan—, hallamos mucha información sobre la vida, las obras y las cualidades de Jesucristo.

¹⁶ A Jesús se le llamaba "Maestro" (Juan 1:38; 13:13). ¿Qué era lo que enseñaba? Principalmente, proclamaba el mensaje de "las buenas nuevas del reino", es decir, las buenas noticias sobre el Reino de Dios. Este gobierno regirá toda la Tierra desde el cielo y derramará un sinfín de bendiciones sobre los seres humanos que sean fieles a Dios (Mateo 4:23). ¿De quién procedía este mensaje? Jesús mismo lo dijo: "Lo que yo enseño no es mío, sino que pertenece al que me ha enviado", o sea, a Jehová (Juan 7:16). El Hijo sabía que su Padre deseaba que la gente oyera las buenas nuevas del Reino de Dios. En el capítulo 8 veremos más detalles acerca de este gobierno y de lo que logrará.

¹⁷ ¿Dónde enseñaba Jesús? En cualquier lugar donde hubiera gente: tanto en el campo como en las ciudades, los pueblos, los mercados y las casas. Jesús no se sentaba a esperar a que las personas acudieran a él, sino que iba a buscarlas (Marcos 6:56; Lucas 19:5, 6). ¿Por qué dedicó tanto tiempo y esfuerzo a predicar y enseñar? Porque esa era la voluntad de su Padre, y Jesús siempre la cumplió (Juan 8:28, 29). Pero había otra razón, y era que sentía compasión por las multitudes que iban a verlo (Mateo 9:35, 36). Los líderes religiosos deberían haberles enseñado la verdad sobre Dios y sus propósitos, pero las habían

16. ¿Cuál fue el principal mensaje de Jesús, y de quién procedían sus enseñanzas?
17. ¿Dónde enseñaba Jesús, y por qué se esforzó tanto por hacerlo?

*Jesús predicaba en cualquier lugar
donde hubiera gente*

dejado abandonadas. Sin embargo, Jesús sabía cuánto necesitaban escuchar el mensaje del Reino.

¹⁸ Jesús fue un hombre tierno, cariñoso y de gran corazón. Trataba a la gente con sencillez y amabilidad, y hasta los niños se sentían cómodos a su lado (Marcos 10:13-16). No mostraba favoritismo. Odiaba la corrupción y la injusticia (Mateo 21:12, 13). En una época en la que se mostraba poco respeto y consideración a las mujeres, él las trató con dignidad (Juan 4:9, 27). Jesús era humilde de verdad. En cierta ocasión les lavó los pies a los apóstoles, una tarea que solían realizar los criados de menor categoría.

¹⁹ Jesús sentía compasión por las personas que sufrían, como lo demostró especialmente cuando realizó curaciones milagrosas con el poder del espíritu de Dios (Mateo

18. ¿Qué cualidades de Jesús le atraen más?
19. ¿Qué ejemplo muestra que Jesús sentía compasión por las personas que sufrían?

14:14). Por ejemplo, un leproso lo buscó y le dijo: "Si tan solo quieres, puedes limpiarme". Jesús sintió en su propio corazón el sufrimiento de aquel hombre. Compadecido, extendió la mano, lo tocó y le dijo: "Quiero. Sé limpio". ¡Y el enfermo sanó! (Marcos 1:40-42.) ¿Se imagina usted cómo debió sentirse aquella persona?

FIEL HASTA EL FINAL

[20] Jesús es el mejor ejemplo de obediencia y lealtad a Dios. En toda circunstancia permaneció fiel a su Padre celestial, a pesar de soportar todo tipo de oposición y sufrimientos. Rechazó con firmeza las tentaciones de Satanás (Mateo 4:1-11). Hubo un tiempo en que algunos de sus propios parientes no creyeron en él. Incluso llegaron a decir: "Ha perdido el juicio" (Marcos 3:21). Pero Jesús no se

20, 21. ¿Por qué podemos decir que Jesús es el mejor ejemplo de obediencia y lealtad a Dios?

desanimó y siguió efectuando la obra de Dios. Cuando sus adversarios lo insultaron y agredieron, siempre supo contenerse y no intentó hacerles daño (1 Pedro 2:21-23).

[21] Jesús fue fiel hasta la muerte, una muerte cruel y dolorosa a manos de sus enemigos (Filipenses 2:8). Piense en lo que soportó el último día de su vida como hombre. Tuvo que aguantar que las autoridades lo arrestaran, que testigos falsos lo acusaran, que jueces corruptos lo condenaran, que la gente se burlara de él y que los soldados lo torturaran. Clavado en el madero, exclamó con su último aliento: "¡Se ha realizado!" (Juan 19:30). Tres días después, su Padre celestial lo resucitó como criatura espiritual (1 Pedro 3:18). Al cabo de pocas semanas regresó al cielo, donde "se sentó a la diestra de Dios" a la espera de recibir el poder para reinar (Hebreos 10:12, 13).

[22] ¿Qué logró Jesús al permanecer fiel hasta el final? Su muerte abrió el camino para que podamos vivir eternamente en un paraíso terrestre, tal como Jehová se propuso desde un principio. En el próximo capítulo veremos cómo logra la muerte de Jesús que esta esperanza se haga realidad.

22. ¿Qué logró Jesús al permanecer fiel hasta el final?

LO QUE LA BIBLIA ENSEÑA

- Tanto las profecías bíblicas que se cumplieron en Jesús como el testimonio que Jehová mismo dio prueban que él es el Mesías, o Cristo (Mateo 16:16).
- Jesús vivió en el cielo como criatura espiritual mucho antes de venir a la Tierra (Juan 3:13).
- Jesús fue un maestro, un hombre tierno y cariñoso, y un ejemplo de obediencia perfecta a Dios (Mateo 9:35, 36).

CAPÍTULO 5

El rescate,
el mayor regalo de Dios

¿Qué es el rescate?

¿Cómo lo proporcionó Dios?

¿Cómo puede beneficiarle a usted?

¿Cómo puede demostrar que lo agradece?

¿CUÁL es el mejor regalo que usted ha recibido? Un regalo no tiene que ser caro para ser valioso. Al fin y al cabo, su verdadera importancia no siempre depende de cuánto haya costado. Más bien, es valioso para usted si lo hace feliz o si llena una verdadera necesidad en su vida.

² De los muchos obsequios que pudieran hacerle, hay uno que supera a todos los demás. Es un regalo de Dios para la humanidad. Es cierto que Jehová nos ha dado muchas cosas, pero la más importante es el rescate: el sacrificio de su Hijo, Jesucristo (Mateo 20:28). Como veremos en este capítulo, el rescate es el regalo más valioso que hemos recibido, pues nos da la oportunidad de ser inmensamente felices y de obtener lo que de verdad necesitamos. En realidad, es la mayor prueba del amor que Jehová nos tiene a cada uno de nosotros.

¿QUÉ ES EL RESCATE?

³ En pocas palabras, el rescate es el medio que Jehová

1, 2. a) ¿Qué hace que un regalo sea valioso para usted? b) ¿Por qué es el rescate el regalo más valioso que hemos recibido?
3. ¿Qué es el rescate, y qué tenemos que comprender para hacernos una idea del gran valor de este regalo?

emplea para liberar, o salvar, del pecado y la muerte a la humanidad (Efesios 1:7). La clave para entender esta enseñanza bíblica está en lo que sucedió en el jardín de Edén. Solo si comprendemos qué fue lo que Adán perdió al pecar, nos haremos una idea del gran valor que tiene para nosotros el rescate.

⁴ Cuando Jehová creó a Adán, le dio algo valiosísimo: la vida humana perfecta. Piense en lo que eso significaba para él. Con un cuerpo y una mente perfectos, nunca se enfermaría, envejecería ni moriría. Además, disfrutaba de una relación especial con Jehová. La Biblia dice que Adán era "hijo de Dios" (Lucas 3:38). Por lo tanto, entre Dios y Adán existía una relación muy estrecha, como la que existe entre un padre cariñoso y su hijo. En efecto, el Creador se comunicaba con su hijo terrestre, le encargaba tareas que lo harían feliz y le explicaba qué esperaba de él (Génesis 1: 28-30; 2:16, 17).

⁵ Adán fue hecho "a la imagen de Dios" (Génesis 1:27). Esto no quiere decir que tuviera la misma apariencia que Dios. Como aprendimos en el capítulo 1 de este libro, Jehová es un espíritu invisible (Juan 4:24). De modo que él no tiene un cuerpo de carne y hueso. Por lo tanto, Adán estaba hecho a la imagen de Dios en otro sentido, en el sentido de que había sido creado con cualidades como las que tiene Dios: amor, sabiduría, justicia y poder, entre otras. Además, era como su Padre en otro importante aspecto: tenía libre albedrío, es decir, podía tomar sus propias decisiones. Así que no era ninguna máquina, que solo puede hacer aquello para lo que ha sido fabricada o programada. Al contrario, podía decidir por sí mismo y escoger entre el bien y el mal. Si hubiera elegido obede-

---

4. ¿Qué significaba para Adán tener una vida humana perfecta?
5. ¿Qué quiere decir la Biblia cuando indica que Adán estaba hecho "a la imagen de Dios"?

cer a Dios, habría vivido para siempre en el Paraíso terrestre.

⁶ Está claro que Adán pagó muy cara la desobediencia a Dios, pues fue condenado a muerte. Aquel pecado le costó la vida humana perfecta con todos sus beneficios (Génesis 3:17-19). Por desgracia, Adán no solo la perdió para él, sino también para sus futuros descendientes. La Palabra de Dios dice: "Por medio de un solo hombre [es decir, Adán] el pecado entró en el mundo, y la muerte mediante el pecado, y así la muerte se extendió a todos los hombres porque todos habían pecado" (Romanos 5:12). En efecto, todos nosotros hemos heredado de Adán el pecado. Por eso, la Biblia explica que Adán nos ha "vendido" junto con él, haciéndonos esclavos del pecado y la muerte (Romanos 7:14). Para Adán y Eva no existía ninguna esperanza, pues ellos habían desobedecido a Dios por voluntad propia. Sin embargo, ¿qué sucedería con sus descendientes, entre ellos nosotros?

⁷ Jehová decidió salvar a la humanidad mediante el rescate. ¿En qué consiste un rescate? Básicamente, en dos cosas. En primer lugar, es el precio que se paga para recuperar una cosa o liberar a una persona, como un rehén, por ejemplo. En segundo lugar, en la Biblia, un rescate es el precio que cubre, o paga, el costo de algo, como los daños sufridos por una persona. Por ejemplo, si alguien provocaba un accidente, tenía que pagar la cantidad justa que correspondía al valor de los daños producidos.

⁸ Tal como hemos visto, Adán nos causó a todos nosotros una enorme pérdida. ¿Cómo sería posible cubrir el costo de tal pérdida y liberarnos de la esclavitud del pecado

6. ¿Qué perdió Adán cuando desobedeció a Dios, y qué consecuencias tuvo esto para sus descendientes?

7, 8. Básicamente, ¿en qué dos cosas consiste un rescate?

y la muerte? Veamos el rescate que proporcionó Jehová y de qué manera puede beneficiarle a usted.

¿CÓMO PROPORCIONÓ JEHOVÁ EL RESCATE?

⁹ Lo que se perdió fue una vida humana perfecta. Por eso, para recuperarla no bastaba con ofrecer la vida de ningún ser humano imperfecto (Salmo 49:7, 8). Se necesitaba un rescate que tuviera un valor equivalente a lo que se había perdido. Así lo señalaba el principio de justicia perfecta que se expone en la Palabra de Dios. De acuerdo con ese principio, había que entregar "alma [...] por alma" (Deuteronomio 19:21). Por lo tanto, ¿qué podría cubrir o pagar el valor del alma, o vida, humana perfecta que Adán perdió? El "rescate correspondiente" que se necesitaba era otra vida humana perfecta (1 Timoteo 2:6).

¹⁰ ¿Cómo proporcionó Jehová el rescate? Envió a la Tierra a un ser perfecto, uno de sus hijos espirituales. Pero no envió a cualquiera de ellos, sino al que más amaba: su Hijo unigénito (1 Juan 4:9, 10). Este dejó de buena gana su hogar celestial (Filipenses 2:7). Como vimos en el capítulo anterior, Jehová realizó un milagro al hacer que la vida de su Hijo pasara a la matriz de María. Gracias al espíritu santo de Dios, Jesús nació como ser humano perfecto, libre de la condena del pecado (Lucas 1:35).

¹¹ ¿Cómo es posible que un solo hombre fuera el rescate de muchos, sí, de millones de seres humanos? Pues bien, ¿cómo llegaron todos ellos a ser pecadores? Recuerde que Adán pecó y de este modo perdió una posesión muy valiosa: la vida humana perfecta, una posesión que ya no pudo pasar a sus descendientes. Lo único que pudo transmitir-

---

9. ¿Qué clase de rescate se necesitaba?
10. ¿Cómo proporcionó Jehová el rescate?
11. ¿Cómo es posible que un solo hombre fuera el rescate de millones de personas?

les fue el pecado y la muerte. Jesús, a quien la Biblia llama "el último Adán", tenía una vida humana perfecta y nunca pecó (1 Corintios 15:45). En cierto modo, Jesús tomó el lugar de Adán para salvarnos. Obedeció a la perfección a su Padre y sacrificó, o entregó, su vida perfecta. Así pagó el precio necesario para cubrir el pecado de Adán y nos dio una esperanza a sus descendientes (Romanos 5:19; 1 Corintios 15:21, 22).

¹² La Biblia relata en detalle los sufrimientos que soportó Jesús antes de morir. Con gran crueldad, lo azotaron y lo clavaron en un madero de tormento, condenándolo a una muerte horrible (Juan 19:1, 16-18, 30; consulte el apéndice, páginas 204 a 206). ¿Por qué tuvo que sufrir tanto? Como veremos en otro capítulo, Satanás ha puesto en duda que haya un solo ser humano que permanezca fiel a Jehová si se le somete a prueba. Al aguantar fielmente a pesar de aquel terrible sufrimiento, Jesús dio la mejor respuesta posible al desafío de Satanás. Demostró que un hombre perfecto, que tenga libre albedrío, puede ser totalmente fiel a Jehová, sin importar las dificultades que le cause el Diablo. ¡Cuánto tuvo que alegrarse Dios al ver la lealtad de su amado Hijo! (Proverbios 27:11.)

¹³ ¿Cómo se pagó el rescate? El día 14 del mes judío de nisán del año 33 de nuestra era, Dios permitió que ejecutaran a su Hijo, que era perfecto y, por lo tanto, no tenía pecado. De esta forma, Jesús sacrificó "una vez para siempre" su vida humana perfecta (Hebreos 10:10). Al tercer día de su muerte, Jehová lo resucitó como criatura espiritual. En los cielos, Jesús presentó a su Padre el valor de su vida humana perfecta, la cual había ofrecido en sacrificio para rescatar a los descendientes de Adán (Hebreos 9:24). Jehová aceptó el valor del sacrificio de Jesús, y así aquel

---

12. ¿Qué demostró Jesús con todo lo que sufrió?
13. ¿Cómo se pagó el rescate?

ΙΗΣΟΥΣ Ο ΝΑΖΩΡΑΙΟΣ
Ο ΒΑΣΙΛΕΥΣ ΤΩΝ ΙΟΥΔΑΙΩΝ

*Jehová dio
a su Hijo unigénito
como rescate
por nosotros*

sacrificio sirvió como el rescate necesario para liberar a la humanidad de la esclavitud del pecado y la muerte (Romanos 3:23, 24).

¿CÓMO PUEDE BENEFICIARLE A USTED EL RESCATE?

[14] Gracias al rescate podemos disfrutar de maravillosas bendiciones a pesar de ser pecadores. Veamos algunos beneficios presentes y futuros del mayor regalo que Dios nos ha hecho.

[15] *El perdón de los pecados.* Como hemos heredado la imperfección, para nosotros es una verdadera lucha hacer el bien. Todos pecamos, sea con nuestras palabras o con nuestras obras. Pues bien, gracias al sacrificio de Jesús podemos obtener "el perdón de nuestros pecados" (Colosenses 1:13, 14). Sin embargo, para ello debemos arrepentirnos de corazón. También tenemos que pedirle humildemente a Jehová que nos perdone tomando como base nuestra fe en el sacrificio de su Hijo (1 Juan 1:8, 9).

[16] *Una conciencia limpia ante Dios.* La conciencia culpable nos deja sin esperanza y con el sentimiento de que no valemos nada. Pero gracias al rescate, Jehová nos perdona y tiene la bondad de permitir que, aun siendo imperfectos, lo adoremos con la conciencia limpia (Hebreos 9: 13, 14). De este modo, tenemos confianza para hablar con él, o sea, para orarle con toda libertad (Hebreos 4:14-16). Además, al mantener la conciencia limpia, disfrutamos de tranquilidad mental, nos sentimos bien con nosotros mismos y somos más felices.

14, 15. ¿Qué debemos hacer para recibir "el perdón de nuestros pecados"?
16. ¿Por qué podemos adorar a Dios con la conciencia limpia, y cómo nos beneficia tener la conciencia limpia?

Una forma en que usted puede demostrar que agradece el regalo del rescate es esforzándose por conocer mejor a Jehová

¹⁷ *La esperanza de vivir eternamente en un paraíso terrestre.* "El salario que el pecado paga es muerte", dice Romanos 6:23. Ahora bien, ese mismo versículo añade: "Pero el don que Dios da es vida eterna por Cristo Jesús nuestro Señor". En el capítulo 3 de este libro vimos las bendiciones del Paraíso terrestre que se aproxima (Revelación [Apocalipsis] 21:3, 4). Todas esas bendiciones, incluida la de vivir para siempre con salud perfecta, serán posibles porque Jesús murió por nosotros. Para recibirlas, debemos demostrar que agradecemos el regalo del rescate.

¿CÓMO PUEDE USTED MOSTRAR SU AGRADECIMIENTO?

¹⁸ ¿Por qué debemos estar profundamente agradecidos a Jehová por el rescate? Pues bien, un regalo es más valioso cuando la persona que lo hace ha tenido que sacrificar tiempo, energías o dinero para dárnoslo. Además, nos conmueve porque es una prueba del amor sincero que

17. ¿Qué bendiciones serán posibles porque Jesús murió por nosotros?
18. ¿Por qué debemos estar agradecidos a Jehová por el regalo del rescate?

nos tiene. Por lo tanto, el rescate es el regalo más valioso de todos, ya que Dios hizo el mayor de los sacrificios. "Tanto amó Dios al mundo que dio a su Hijo unigénito", dice Juan 3:16. El rescate es la prueba más sobresaliente del amor que Jehová nos tiene. También es prueba de cuánto nos ama Jesús, quien estuvo muy dispuesto a entregar la vida por nosotros (Juan 15:13). En efecto, el regalo del rescate debe convencernos de que Jehová y su Hijo nos quieren a cada uno de nosotros (Gálatas 2:20).

[19] Entonces, ¿de qué maneras demostrará usted que agradece el regalo divino del rescate? Para empezar, *conozca mejor a Aquel que lo dio, Jehová* (Juan 17:3). Puede lograrlo si estudia la Biblia con la ayuda de esta publicación. Cuanto más conozca a Jehová, más lo amará. Y cuanto más lo ame, más deseará complacerlo (1 Juan 5:3).

[20] *Tenga fe en el rescate.* Jesús mismo dijo: "El que ejerce fe en el Hijo tiene vida eterna" (Juan 3:36). ¿Cómo podemos ejercer, o demostrar, fe en Jesús? No solo con palabras. Como indica Santiago 2:26, "la fe sin obras está muerta". En efecto, la fe verdadera se demuestra con obras. Una manera de probar que tenemos fe en Jesús es haciendo lo posible por imitarlo, tanto en lo que decimos como en lo que hacemos (Juan 13:15).

[21] *Asista a la celebración anual de la Cena del Señor.* La noche del 14 de nisán del año 33, Jesús estableció una celebración especial que la Biblia llama "la cena del Señor" (1 Corintios 11:20; Mateo 26:26-28). También se la conoce como la Conmemoración de la muerte de Cristo.

19, 20. ¿De qué maneras puede usted demostrar que agradece el regalo divino del rescate?
21, 22. a) ¿Por qué debemos asistir a la celebración anual de la Cena del Señor? b) ¿Qué veremos en los capítulos 6 y 7?

La estableció Jesús para ayudar a sus apóstoles y a todos los cristianos verdaderos a recordar algo importante: al morir, él entregó como rescate su alma, es decir, su vida humana perfecta. Jesús mismo se refirió a esta celebración cuando dio este mandato: "Sigan haciendo esto en memoria de mí" (Lucas 22:19). La Conmemoración nos recuerda el gran amor que Jehová y Jesús nos han mostrado haciendo posible el rescate. Al asistir a esta celebración anual, también demostramos nuestro agradecimiento por el rescate.*

²² El rescate es un regalo de incalculable valor que nos hace Jehová (2 Corintios 9:14, 15). De hecho, puede beneficiar incluso a las personas que han muerto, como veremos en los capítulos 6 y 7.

---

* En el apéndice, págs. 206-208, hallará más información sobre el significado de la Cena del Señor.

LO QUE LA BIBLIA ENSEÑA

- El rescate es el medio que Jehová utiliza para liberar del pecado y la muerte a la humanidad (Efesios 1:7).

- Jehová proporcionó el rescate enviando a la Tierra a su Hijo unigénito para que muriera por nosotros (1 Juan 4:9, 10).

- Gracias al rescate tenemos el perdón de los pecados, una conciencia limpia y la esperanza de vivir eternamente (1 Juan 1:8, 9).

- Podemos demostrar que agradecemos el rescate conociendo mejor a Jehová, teniendo fe en el sacrificio de Jesús y asistiendo a la Cena del Señor (Juan 3:16).

CAPÍTULO 6

¿Dónde están los muertos?

¿Qué nos sucede al morir?
¿Por qué morimos?
¿Nos serviría de consuelo aprender la verdad sobre la muerte?

ESTAS preguntas, que la gente se ha hecho por miles de años, son fundamentales. Y las respuestas nos interesan a todos, sin importar quiénes seamos ni dónde vivamos.

² En el capítulo anterior vimos que el rescate —el sacrificio de Jesucristo— abrió el camino para que podamos vivir eternamente. También vimos que la Biblia promete que "la muerte no será más" (Revelación [Apocalipsis] 21:4). Pero mientras llega ese día, todos morimos. Como dijo el sabio rey Salomón, "los vivos tienen conciencia de que morirán" (Eclesiastés 9:5). Intentamos vivir lo máximo posible, pero seguimos preguntándonos qué nos sucederá al morir.

³ Cuando nos toca llorar la pérdida de seres amados, quizá pensemos: "¿Qué ha pasado con ellos? ¿Están sufriendo? ¿Nos cuidan de algún modo? ¿Podemos ayudarlos? ¿Los volveremos a ver?". Las religiones del mundo ofrecen distintas respuestas. Algunas enseñan que los buenos van al cielo, y los malos a un lugar de tormento. Otras dicen que pasamos al reino de los espíritus para estar con nuestros antepasados. Y hay religiones que afirman que entramos en el mundo de los muertos para ser juzgados y después nos reencarnamos, es decir, volvemos a nacer en otro cuerpo.

1-3. ¿Qué preguntas se hace la gente sobre la muerte, y qué respuestas ofrecen muchas religiones?

⁴ Esas creencias comparten una idea básica: que una parte de nosotros sigue viviendo cuando el cuerpo muere. Casi todas las religiones, tanto del pasado como del presente, afirman que, de una u otra forma, continuamos viviendo para siempre y conservamos la capacidad de ver, oír y pensar. Pero ¿cómo puede ser eso posible? Los sentidos, lo mismo que el pensamiento, dependen del cerebro, el cual deja de funcionar cuando fallecemos. Nuestros recuerdos, sentimientos y sensaciones no se mantienen vivos por sí solos de algún modo misterioso. Es imposible que lo hagan, pues dejan de existir cuando el cerebro se destruye.

¿QUÉ SUCEDE REALMENTE AL MORIR?

⁵ Lo que sucede cuando fallecemos no es ningún misterio para Jehová, el Creador del cerebro. Él conoce la verdad, y en su Palabra, la Biblia, explica en qué estado se encuentran los difuntos. Allí se enseña con toda claridad este hecho: *cuando una persona muere, deja de existir.* La muerte es lo contrario de la vida, de modo que los muertos no ven ni oyen ni piensan. Ni una sola parte de nosotros sigue viviendo cuando muere el cuerpo. En efecto, no poseemos un alma o espíritu inmortal.*

⁶ Después de afirmar que los vivos saben que morirán, Salomón escribió que "los muertos [...] no tienen conciencia de *nada en absoluto"*. Entonces amplió esa verdad fundamental al decir que no pueden amar ni odiar y que "no hay trabajo ni formación de proyectos ni conocimiento ni sabiduría en el [sepulcro]" (Eclesiastés 9:5, 6, 10). De igual modo, Salmo 146:4 dice que cuando alguien muere, "perecen sus pensamientos"; en efecto, se acaban por completo.

---

* En el apéndice, págs. 208-211, se explica el significado de las palabras *alma* y *espíritu.*

4. ¿Qué idea básica sobre la muerte comparten muchas religiones?
5, 6. Según la Biblia, ¿en qué estado se encuentran los muertos?

Lo cierto es que somos mortales y no seguimos viviendo después de la muerte del cuerpo. Nuestra vida es como la llama de una vela. Cuando se apaga, no va a ningún sitio, sino que sencillamente deja de existir.

LO QUE DIJO JESÚS SOBRE LA MUERTE

7 Refiriéndose a un amigo suyo que había fallecido, Jesucristo mencionó el estado en que se encuentran los muertos. Primero dijo a sus discípulos: "Nuestro amigo Lázaro está descansando". Ellos entendieron que estaba durmiendo, recuperándose de una enfermedad. Pero se equivocaban, pues Jesús les aclaró a continuación: "Lázaro ha muerto" (Juan 11:11-14). Observe que Jesús comparó la muerte a descansar y

¿Adónde se fue la llama?

dormir. Su amigo no estaba ni en el cielo ni en un infierno ardiente. No se había reunido con los ángeles ni con sus antepasados, ni tampoco había vuelto a nacer como una persona distinta. Descansaba en la muerte, como si durmiera profundamente, pero sin soñar. Otros textos bíblicos también dicen que estar muerto es comparable a estar dormido. Por ejemplo, cuando mataron a pedradas al discípulo Esteban, la Biblia dice que "se durmió" (Hechos 7:60). De la misma forma, el apóstol Pablo escribió que algunas personas de su día se habían "dormido" en la muerte (1 Corintios 15:6).

8 ¿Era el propósito de Dios que la gente muriera? Ni mucho menos. Jehová hizo al hombre para vivir eternamente en la Tierra. Como ya hemos aprendido en este libro, Dios colocó a nuestros primeros padres en un hermoso

7. ¿Qué nos enseña sobre la muerte la comparación que hizo Jesús?
8. ¿Por qué podemos estar seguros de que no era el propósito de Dios que la gente muriera?

paraíso y los bendijo con salud perfecta. Sin duda quería lo mejor para ellos. ¿Acaso hay algún padre amoroso que desee que sus hijos pasen por los dolores de la vejez y la muerte? ¡Claro que no! Pues bien, Jehová amaba a sus hijos y deseaba que fueran felices en la Tierra para siempre. De hecho, la Biblia dice que Dios ha puesto "el tiempo indefinido [...] en el corazón" de los seres humanos (Eclesiastés 3:11). Así es, nos ha creado con el deseo de vivir para siempre, y ha abierto el camino para que ese deseo se haga realidad.

Jehová hizo
a los seres humanos
para que vivieran
eternamente en la Tierra

¿POR QUÉ MORIMOS?

⁹ Entonces, ¿por qué morimos? Para hallar la respuesta tenemos que examinar lo que ocurrió cuando solo había un hombre y una mujer en la Tierra. La Biblia explica: "Jehová Dios hizo crecer del suelo todo árbol deseable a la vista de uno y bueno para alimento" (Génesis 2:9). Sin embargo, había una restricción. Dios le dijo a Adán: "De todo árbol del jardín puedes comer hasta quedar satisfecho. Pero en cuanto al árbol del conocimiento de lo bueno y lo malo, no debes comer de él, porque en el día que comas de él, positivamente morirás" (Génesis 2:16, 17). No era un mandato difícil de cumplir, pues había muchos otros árboles de los que Adán y Eva podían comer. Pero se les dio una oportunidad especial de demostrar su gratitud a Dios, quien les había dado todo, lo que incluía la vida perfecta. Al obedecer, también demostrarían que respetaban la autoridad de su Padre celestial y que deseaban recibir sus amorosas instrucciones.

¹⁰ Por desgracia, nuestros primeros padres eligieron desobedecer a Jehová. Hablando mediante una serpiente, Satanás le preguntó a Eva: "¿[De verdad] Dios ha dicho que ustedes no deben comer de todo árbol del jardín?". Ella le respondió: "Del fruto de los árboles del jardín podemos comer. Pero en cuanto a comer del fruto del árbol que está en medio del jardín, Dios ha dicho: 'No deben comer de él, no, no deben tocarlo para que no mueran'" (Génesis 3:1-3).

¹¹ "No morirán —dijo Satanás—. Porque Dios sabe que en el mismo día que coman de él tendrán que abrírseles los ojos y tendrán que ser como Dios, conociendo lo bueno y lo malo." (Génesis 3:4, 5.) El Diablo quería hacer creer a

---

9. ¿Qué restricción le puso Jehová a Adán, y por qué no era un mandato difícil de cumplir?
10, 11. a) ¿Qué sucesos llevaron a que nuestros primeros padres desobedecieran a Dios? b) ¿Por qué fue tan grave la desobediencia de Adán y Eva?

Eva que a ella le convenía comer del fruto prohibido. Según le dijo, así podría decidir por sí misma lo que estaba bien y lo que estaba mal; en otras palabras, podría hacer lo que quisiera. Satanás también acusó a Jehová de haber mentido sobre lo que pasaría si comían del fruto. Eva creyó lo que dijo el Diablo, así que tomó el fruto y lo probó. Luego le dio a su esposo, quien también comió. No es que les faltara conocimiento. Ellos sabían perfectamente que estaban haciendo lo que Dios les había prohibido. Al comer del fruto, desobedecieron a sabiendas un mandato sencillo y razonable. De este modo, despreciaron a su Padre celestial y su autoridad. ¡Qué imperdonable falta de respeto a su amoroso Creador!

Adán fue formado del polvo y al polvo volvió

¹² Imagínese que un hijo que usted ha criado y cuidado le desobedece y demuestra que no le tiene el menor respeto ni amor. ¿Verdad que le dolería mucho? Pues piense en cuánto debió dolerle a Jehová que Adán y Eva se pusieran en contra de él.

¹³ Adán y Eva habían desobedecido a Jehová, y no había ninguna razón para que los mantuviera vivos eternamente. Por ello, terminaron muriendo, tal como él les había advertido. Dejaron de existir. Así pues, no pasaron a vivir como espíritus en alguna otra parte. Así lo indican las palabras que Jehová dirigió al primer hombre tras pedirle cuentas por su desobediencia: "[Volverás] al suelo, porque de él fuiste tomado. Porque polvo eres y a polvo volverás" (Génesis 3:19). Dios había hecho a Adán del polvo del suelo (Génesis 2:7). Antes de eso, Adán no existía. Por lo tanto, cuando Jehová le indicó que volvería al polvo, le estaba diciendo que regresaría a ese mismo estado de inexistencia. Al igual que el polvo del que fue hecho, Adán no tendría vida.

¹⁴ Adán y Eva habrían podido estar vivos hoy, pero murieron porque decidieron desobedecer a Dios y, por lo tanto, pecaron. La razón por la que todos nosotros morimos es que somos descendientes de Adán, quien nos pasó el pecado y la muerte (Romanos 5:12). Ese pecado es como una terrible enfermedad hereditaria de la que nadie se libra. Su resultado, la muerte, no es un amigo o una bendición, sino todo lo contrario: es un enemigo o una maldición (1 Corintios 15:26). ¡Qué agradecidos podemos estar de que Jehová proporcionara el rescate para liberarnos de este cruel enemigo!

12. ¿Qué puede ayudarnos a entender cómo se sintió Jehová cuando Adán y Eva se pusieron en contra de él?
13. ¿Qué dijo Jehová que le sucedería a Adán al morir, y qué significa eso?
14. ¿Por qué morimos?

¿CÓMO LE BENEFICIA CONOCER LA VERDAD SOBRE LA MUERTE?

¹⁵ Es todo un consuelo saber lo que enseña la Biblia sobre el estado en que se encuentran los muertos. Como hemos visto, no sufren ni sienten dolor. No hay que tenerles miedo, pues no pueden hacernos daño. No necesitan nuestra ayuda ni tampoco tienen la capacidad de ayudarnos. Ni ellos pueden hablar con nosotros ni nosotros con ellos. Hay muchos líderes religiosos que aseguran que pueden ayudar a los difuntos, y la gente, creyendo esa falsedad, les da dinero. Pero conocer la verdad impide que nos engañen con esas mentiras.

¹⁶ ¿Acepta su religión lo que dice la Biblia sobre los difuntos? La mayoría de las religiones no lo hacen. ¿Por qué? Porque Satanás ha influido en sus enseñanzas. Él utiliza la religión falsa para hacer creer a las personas que, después de morir, seguirán viviendo como espíritus en otro lugar. Además, combina esta mentira con otras para alejar de Jehová Dios a los seres humanos. ¿De qué manera?

¹⁷ Como ya vimos, algunas religiones enseñan que los malos sufrirán eternamente en las llamas del infierno. Esta creencia insulta a Jehová, pues él es un Dios de amor y nunca atormentaría a nadie de esa manera (1 Juan 4:8). ¿Qué pensaría usted de un hombre que castigara a su hijo metiéndole las manos en el fuego por haberle desobedecido? ¿Sentiría respeto por él? ¿Desearía conocerlo siquiera? Desde luego que no. Seguro que lo consideraría un individuo muy cruel. Pues bien, eso es lo que Satanás quiere hacernos creer: que Jehová tortura a muchas personas con fuego por toda la eternidad, durante millones y millones de años.

---

15. ¿Por qué es todo un consuelo saber la verdad sobre la muerte?
16. ¿Quién ha influido en las enseñanzas de muchas religiones, y cómo lo ha hecho?
17. ¿Por qué insulta a Jehová la creencia del tormento eterno?

[18] Satanás también usa a algunas religiones para enseñar que los difuntos se convierten en espíritus a los que los vivos deben respetar y honrar. Según esta creencia, esos espíritus pueden ser amigos poderosos o enemigos terribles. Creyendo esta mentira, muchas personas los temen, los honran y les rinden culto. La Biblia, en cambio, enseña que los muertos están durmiendo y que solo debemos adorar al Dios verdadero, Jehová, quien nos ha creado y nos ha dado todo (Revelación 4:11).

[19] Cuando conocemos la verdad sobre los muertos, ya no nos engañan las mentiras religiosas. Además, entendemos mejor otras enseñanzas de la Biblia, como por ejemplo, la promesa de vivir eternamente en el Paraíso. Esta esperanza se vuelve muy real para nosotros cuando aprendemos que los difuntos no van a vivir como espíritus a otra parte.

[20] Hace muchos siglos, el fiel Job hizo esta pregunta: "Si un hombre [...] muere, ¿puede volver a vivir?" (Job 14:14). En otras palabras, ¿es posible devolver la vida a quienes duermen en la muerte? La respuesta que da la Biblia es muy consoladora, como veremos en el próximo capítulo.

---

18. ¿En qué mentira religiosa se basa el culto a los difuntos?
19. ¿Qué otra enseñanza bíblica podemos entender cuando conocemos la verdad sobre la muerte?
20. ¿Qué pregunta examinaremos en el próximo capítulo?

LO QUE LA BIBLIA ENSEÑA

- Los muertos no ven ni oyen ni piensan (Eclesiastés 9:5).

- Los muertos están descansando; no sufren ni sienten dolor (Juan 11:11).

- Morimos porque hemos heredado de Adán el pecado (Romanos 5:12).

CAPÍTULO 7

Verdadera esperanza para los seres queridos que han muerto

¿Por qué podemos estar seguros de que habrá una resurrección?

¿Cuánto interés tiene Jehová en resucitar a los muertos?

¿Quiénes resucitarán?

IMAGÍNESE que está huyendo de un feroz enemigo mucho más fuerte y veloz que usted. Sabe que, si lo atrapa, no le tendrá compasión, pues ya lo ha visto matar a varios amigos suyos. Sin importar cuánto corra, se le acerca más y más. Parece que no tiene escapatoria. Sin embargo, de repente acude alguien a rescatarlo. Es mucho más poderoso que su enemigo y le ofrece su ayuda. ¡Qué alivio!

² En cierta forma, a usted ya lo está persiguiendo un enemigo como ese. De hecho, nos persigue a todos. Como aprendimos en el capítulo anterior, la Biblia muestra que la muerte es un enemigo. Ninguno de nosotros puede escapar de ella ni vencerla, y casi todos hemos visto cómo le ha quitado la vida a alguien que amamos. Pero Jehová es mucho más poderoso que la muerte. Él es nuestro amoroso Rescatador. En efecto, ya ha demostrado que puede derrotarla, y además promete acabar con ella de una vez por todas. La Biblia dice: "Como el último enemigo, la muerte ha de ser reducida a nada" (1 Corintios 15:26). ¡Qué buena noticia!

1-3. ¿Qué enemigo nos persigue a todos, y qué alivio sentimos al examinar lo que enseña la Biblia?

³ Pensemos por un momento en el dolor que causan los golpes de este enemigo. Así comprenderemos algo que nos hará felices: Jehová promete que quienes han muerto vivirán de nuevo (Isaías 26:19). Él hará que vuelvan a la vida; en eso consiste la esperanza de la resurrección.

CUANDO MUERE UN SER QUERIDO

⁴ ¿Se le ha muerto un familiar o un amigo muy querido? Parece imposible aguantar el dolor, la tristeza y la desesperación de no poder hacer nada. Es entonces cuando más necesitamos el consuelo de la Palabra de Dios (2 Corintios 1:3, 4). La Biblia nos permite conocer lo que sienten Jehová y Jesús con respecto a la muerte. Nos muestra el dolor que sintió Jesús al perder a un ser querido, y sabemos que él reflejaba a la perfección la personalidad de su Padre (Juan 14:9). Cuando iba a Jerusalén, solía visitar a Lázaro y sus hermanas, María y Marta, que vivían en la cercana ciudad de Betania. Los unía una amistad tan estrecha que la Biblia dice que "Jesús amaba a Marta y a su hermana y a Lázaro" (Juan 11:5). Pero Lázaro murió, como vimos en el capítulo 6.

⁵ ¿Cómo se sintió Jesús al perder a su amigo? El relato muestra que fue a visitar a los parientes y amistades de Lázaro, quienes lloraban su muerte. Al verlos, se sintió muy conmovido. "Gimió en el espíritu y se perturbó" y luego "cedió a las lágrimas" (Juan 11:33, 35). ¿Por qué se afligió tanto? ¿Acaso no tenía ninguna esperanza? Todo lo contrario. De hecho, Jesús sabía que algo maravilloso estaba a punto de ocurrir (Juan 11:3, 4). Pero aun así, sintió el dolor y la pena que produce la muerte.

⁶ En cierta forma, el que Jesús sintiera tanto dolor nos da

---

4. a) ¿Por qué razón podemos conocer los sentimientos de Jehová cuando examinamos lo que Jesús sintió al morir un amigo suyo? b) ¿Con quiénes hizo Jesús una buena amistad?
5, 6. a) ¿Cómo se sintió Jesús al ver a los parientes y las amistades que lloraban la muerte de Lázaro? b) ¿Por qué nos da ánimo el que Jesús sintiera tanto dolor?

ánimo. Nos enseña que tanto él como su Padre odian la muerte. Además, Jehová tiene el poder necesario para combatir a este enemigo y derrotarlo. Veamos el milagro que hizo Jesús con el poder que recibió de Dios.

"¡LÁZARO, SAL!"

[7] Lázaro estaba sepultado en una cueva, y Jesús pidió que quitaran la piedra que cerraba la entrada. Marta puso reparos y le dijo que, como llevaba muerto cuatro días, ya estaría descomponiéndose (Juan 11:39). Desde un punto de vista puramente humano, no había ninguna esperanza.

[8] Cuando hicieron rodar la piedra, Jesús clamó con voz fuerte: "¡Lázaro, sal!". ¿Qué ocurrió entonces? "El hombre que había estado muerto salió." (Juan 11:43, 44.) ¿Se imagina lo contentos que se pusieron todos? Tanto sus hermanas como sus parientes, amigos y vecinos sabían muy bien que Lázaro había fallecido; pero ahora volvían a tener a su lado a aquel hombre al que tanto querían. Debió parecerles demasiado bueno para ser cierto. Sin duda, muchos lo abrazaron con gran alegría. ¡Qué victoria sobre la muerte!

[9] Jesús no dijo que él hubiera realizado este milagro por sí solo. Justo antes de llamar a Lázaro, hizo una oración en la que identificó a Jehová como Aquel que hace posible la resurrección (Juan 11:41, 42). De hecho, esa no fue la única vez que Jehová empleó su poder de esta manera. La resurrección de Lázaro es tan solo una de las nueve que se relatan en la Palabra de Dios.* Es todo un placer leer y

---

* Los otros relatos se encuentran en 1 Reyes 17:17-24; 2 Reyes 4:32-37; 13:20, 21; Mateo 28:5-7; Lucas 7:11-17; 8:40-56, y Hechos 9:36-42 y 20:7-12.

7, 8. ¿Por qué es probable que muchos de los presentes pensaran que no había esperanza para Lázaro, y, sin embargo, qué hizo Jesús?
9, 10. a) ¿Cómo identificó Jesús a Aquel que le dio el poder para resucitar a Lázaro? b) ¿Cuáles son algunos beneficios de leer los relatos bíblicos de resurrecciones?

Elías resucitó al hijo de una viuda (1 Reyes 17:17-24)

El apóstol Pedro resucitó a una cristiana llamada Dorcas (Hechos 9:36-42)

La resurrección de Lázaro fue motivo de gran alegría (Juan 11:38-44)

estudiar estos pasajes. Nos enseñan que Dios no muestra favoritismo, pues devolvió la vida a jóvenes y ancianos, hombres y mujeres, israelitas y extranjeros por igual. ¡Y qué alegría tan grande observamos en estos relatos! Por ejemplo, cuando Jesús hizo que una niña volviera a vivir, sus padres se quedaron "fuera de sí con gran éxtasis" (Marcos 5:42). Desde luego, Jehová les había dado un motivo de alegría que nunca olvidarían.

¹⁰ Claro, las personas a las que Jesús resucitó volvieron a morir con el tiempo. ¿Significa eso que no sirvió de nada el que las hubiera resucitado? Todo lo contrario. Estos relatos bíblicos confirman importantes verdades y nos dan esperanza.

¿QUÉ NOS ENSEÑAN LOS RELATOS DE RESURRECCIONES?

¹¹ La Biblia enseña que los muertos "no tienen conciencia de nada en absoluto", es decir, ni están vivos en algún lugar ni se dan cuenta de nada. El relato sobre Lázaro lo confirma. Cuando él volvió a la vida, ¿emocionó a la gente contándole cómo era el cielo? ¿La asustó con horribles historias sobre un infierno ardiente? No. La Biblia no dice nada de eso. En los cuatro días que estuvo muerto, Lázaro no había tenido "conciencia de nada en absoluto" (Eclesiastés 9:5). Sencillamente, había estado durmiendo en la muerte (Juan 11:11).

¹² Lo que sucedió con Lázaro también nos enseña que la resurrección no es ninguna leyenda, sino una realidad. Jesús levantó a Lázaro ante los ojos de toda una multitud. Ni siquiera los líderes religiosos se atrevieron a negar el milagro, y eso que odiaban a Jesús. Más bien, dijeron: "¿Qué

---

11. ¿Cómo confirma el relato de la resurrección de Lázaro lo que dice Eclesiastés 9:5?
12. ¿Por qué podemos estar seguros de que la resurrección de Lázaro realmente ocurrió?

hemos de hacer, porque este hombre ejecuta muchas señales?" (Juan 11:47). Muchas personas fueron a ver al resucitado y terminaron creyendo en Jesús. Vieron que Lázaro era una prueba viva de que Jesús era el enviado de Dios. Tan clara era esa demostración que algunos de los insensibles líderes religiosos judíos se pusieron a buscar la forma de matar a Jesús y a Lázaro (Juan 11:53; 12:9-11).

[13] ¿Es ingenuo creer en la resurrección? No, pues Jesús prometió que llegará el día en que "todos los que están en las tumbas conmemorativas" resucitarán (Juan 5:28). Puesto que Jehová es el Creador de la vida en todas sus formas, ¿es tan difícil pensar que pueda volver a crearla? Por supuesto, mucho depende de la memoria que tenga Jehová. ¿Puede él recordar a nuestros seres queridos? Piense en esto: ¡Dios pone nombre a cada una de los incontables billones de estrellas que hay en el universo! (Isaías 40:26.) De modo que Jehová es capaz de recordar todos los detalles de nuestros seres amados que han fallecido, y además está dispuesto a devolverles la vida.

[14] Ahora bien, ¿cuánto interés tiene Jehová en resucitar a los muertos? La Biblia enseña que está deseando hacerlo. Un fiel siervo de Dios llamado Job preguntó: "Si un hombre [...] muere, ¿puede volver a vivir?". Job hablaba de que esperaría en la tumba hasta que llegara el momento en que Dios se acordara de él. Por eso le dijo a Jehová: "Tú llamarás, y yo mismo te responderé. Por la obra de tus manos sentirás anhelo" (Job 14:13-15).

[15] Piense en ello: Jehová anhela devolver la vida a los muertos. ¿Verdad que nos anima saber que Jehová tiene un deseo tan intenso de hacerlo? Pero ¿cómo será esta resurrección futura? ¿Quiénes resucitarán, y dónde?

---

13. ¿Por qué estamos seguros de que Jehová puede resucitar a los muertos?
14, 15. De acuerdo con lo que dijo Job, ¿cuánto interés tiene Jehová en resucitar a los muertos?

"TODOS LOS QUE ESTÁN EN LAS TUMBAS CONMEMORATIVAS"

[16] Cuando leemos en la Biblia los relatos sobre las resurrecciones del pasado, aprendemos mucho sobre la que ocurrirá en el futuro. Las personas que volvieron a vivir aquí en la Tierra se reunieron con sus seres queridos. Pues bien, la resurrección futura será parecida, pero mucho mejor. Como vimos en el capítulo 3, Dios tiene el propósito de convertir toda la Tierra en un paraíso. Por lo tanto, los muertos no volverán a la vida en un mundo lleno de guerras, delitos y enfermedades. Más bien, tendrán la oportunidad de ser felices y vivir en paz en la Tierra por toda la eternidad.

[17] ¿Quiénes resucitarán? Jesús dijo que *"todos* los que están en las tumbas conmemorativas oirán su voz y saldrán" (Juan 5:28, 29). De igual modo, Revelación (o Apocalipsis) 20:13 dice: "El mar entregó los muertos que había en él, y la muerte y el Hades entregaron los muertos que había en ellos". "El Hades" es la sepultura a la que va toda la humanidad. (Consulte el apéndice, páginas 212 y 213.) Esta tumba colectiva quedará vacía cuando vuelvan a vivir los miles de millones de personas que descansan en ella. El apóstol Pablo dijo: "Va a haber resurrección así de justos como de injustos" (Hechos 24:15). ¿Qué significan estas palabras?

[18] En el grupo de los "justos" se encuentran muchos personajes bíblicos que vivieron antes de que Jesús viniera a la Tierra, como Noé, Abrahán, Sara, Moisés, Rut, Ester y muchos otros. En el capítulo 11 de Hebreos se habla de algunos de estos hombres y mujeres de fe. Pero entre los "justos" también están los siervos de Jehová que mueren en nuestros días. La esperanza de la resurrección puede librarnos de un temor muy común: el miedo a morir (Hebreos 2:15).

---

16. ¿De qué clase de vida disfrutarán los resucitados?
17. ¿Cuántas personas resucitarán?
18. ¿Quiénes están entre los "justos" que resucitarán, y cómo le beneficia a usted esta esperanza?

¹⁹ Miles de millones de personas ni siquiera tuvieron la oportunidad de conocer a Jehová, de modo que no le sirvieron ni hicieron su voluntad. ¿Qué sucederá con ellas? Estos "injustos" no quedarán en el olvido. El Dios verdadero también los resucitará y les dará tiempo para que lo conozcan y le sirvan. En el transcurso de mil años, los muertos volverán a la vida y tendrán la oportunidad de unirse a los seres humanos fieles que sirvan a Jehová en la Tierra. Será un período maravilloso, al que la Biblia llama el Día del Juicio.*

²⁰ ¿Quiere decir esto que resucitarán todos los seres humanos que han vivido? No. La Biblia dice que algunos están en "el Gehena" (Lucas 12:5). El Gehena debe su nombre a un vertedero que había fuera de la antigua ciudad de Jerusalén, en el que se quemaban cadáveres y basura. ¿Qué muertos arrojaban allí los judíos? Solo aquellos a los que consideraban indignos de ser enterrados y resucitados. Por tanto, el Gehena es un símbolo de destrucción eterna. Jesús tomará parte en juzgar a los muertos, pero el Juez Supremo es Jehová (Hechos 10:42). Y Dios no resucitará nunca a las personas que sabe que son malvadas y no quieren cambiar.

LA RESURRECCIÓN CELESTIAL

²¹ La Biblia también enseña que hay otro tipo de resurrección. Se trata de la resurrección como ser espiritual para vivir en el cielo. La Palabra de Dios solo relata un ejemplo de alguien que tuvo esa clase de resurrección: Jesucristo.

²² Jesús fue ejecutado siendo un ser humano; sin embargo, Jehová no dejó a su fiel Hijo en la tumba (Salmo 16:10;

---

* En el apéndice, págs. 213-215, hallará más información sobre el Día del Juicio y cómo se juzgará a las personas.

---

19. ¿Quiénes son los "injustos", y qué amorosa oportunidad les dará Jehová?
20. ¿Qué es el Gehena, y quiénes van allí?
21, 22. a) ¿Qué otra clase de resurrección hay? b) ¿Quién fue el primero en resucitar como ser espiritual?

Hechos 13:34, 35). Lo resucitó, pero no como hombre.
El apóstol Pedro explica que Cristo fue "muerto en la carne,
pero hecho vivo en el espíritu" (1 Pedro 3:18). ¡Qué gran
milagro! Jesús vivía otra vez como poderoso ser espiritual
(1 Corintios 15:3-6). Había sido el primero en recibir esta
gloriosa resurrección (Juan 3:13). Pero no sería el último.

²³ Sabiendo que pronto regresaría al cielo, Jesús dijo a sus
discípulos fieles que iba allí a "preparar un lugar" para ellos
(Juan 14:2). A los que irían al cielo los llamó "rebaño pequeño" (Lucas 12:32). ¿Cuántos componen este grupo relativamente pequeño de cristianos fieles? En Revelación 14:1
leemos estas palabras del apóstol Juan: "Vi, y, ¡miren!, el
Cordero [Jesucristo] de pie sobre el monte Sión, y con él
ciento cuarenta y cuatro mil que tienen escritos en sus frentes el nombre de él y el nombre de su Padre".

²⁴ A estos 144.000 cristianos —entre quienes están los
apóstoles fieles de Jesús—, Dios los resucita para que vivan
en el cielo. ¿Cuándo ocurre esta resurrección? El apóstol Pablo escribió que sería durante un período de tiempo conocido como la presencia de Cristo (1 Corintios 15:23). Ahora
estamos viviendo en ese período, como veremos en el capítulo 9. En nuestros días quedan ya pocos de los 144.000.
Cuando mueran, resucitarán al instante para vivir en el cielo (1 Corintios 15:51-55). Sin embargo, la esperanza para la
inmensa mayoría de la humanidad es resucitar en el futuro
en una Tierra convertida en un paraíso.

²⁵ Usted puede estar totalmente seguro de que Jehová
derrotará a la muerte, nuestra enemiga, y acabará con ella
para siempre (Isaías 25:8). Pero quizá se pregunte: "¿Qué
harán en el cielo quienes resuciten allí?". Pues bien, forma-
rán parte de un maravilloso Reino celestial. En el próximo
capítulo aprenderemos más detalles sobre ese gobierno.

23, 24. ¿Quiénes forman el "rebaño pequeño" de Jesús, y cuántos serán?
25. ¿Qué aprenderemos en el próximo capítulo?

LO QUE LA BIBLIA ENSEÑA

- Los relatos bíblicos de resurrecciones nos dan una esperanza segura (Juan 11:39-44).

- Jehová tiene el intenso deseo de resucitar a los muertos (Job 14:13-15).

- Dios resucitará a todos los que están en la sepultura colectiva de toda la humanidad (Juan 5:28, 29).

En el Paraíso, las personas que han muerto volverán a la vida y se reunirán con sus seres queridos

CAPÍTULO 8

¿Qué es el Reino de Dios?

¿Qué nos dice la Biblia sobre el Reino de Dios?
¿Qué hará dicho gobierno?
¿Cuándo logrará el Reino que se haga la voluntad de Dios en la Tierra?

MILLONES de personas de todo el planeta conocen la famosa oración del padrenuestro, como generalmente se la llama. Es una oración que el propio Jesucristo dio como modelo y que tiene mucho significado. Analicemos sus tres primeras peticiones, y así comprenderá mejor lo que enseña realmente la Biblia.

² Al inicio de esa oración modelo, Jesús dijo a sus oyentes: "Ustedes, pues, tienen que orar de esta manera: 'Padre nuestro que estás en los cielos, santificado sea tu nombre. Venga tu reino. Efectúese tu voluntad, como en el cielo, también sobre la tierra'" (Mateo 6:9-13). ¿Qué significan estas tres peticiones?

³ Ya hemos aprendido mucho sobre el nombre de Dios, Jehová. Y también hemos hablado de la voluntad de Dios, tanto de lo que él ya ha hecho como de lo que hará a favor de la humanidad. Pero ¿a qué se refería Jesús con la petición "Venga tu reino"? ¿Qué es el Reino de Dios? ¿De qué manera su venida santificará, o hará santo, el nombre de Dios? ¿Y qué relación tiene el hecho de que venga el Reino con que se haga la voluntad de Dios?

---

1. ¿Qué famosa oración vamos a analizar?
2. Mencione tres cosas que Jesús enseñó a sus discípulos a pedir en oración.
3. ¿Qué detalles sobre el Reino de Dios es importante que conozcamos?

¿QUÉ ES EL REINO DE DIOS?

⁴ El Reino de Dios es un gobierno que ha establecido Jehová. Y él mismo ha escogido al Rey de ese gobierno. ¿Quién es ese Rey? Jesucristo. Él es superior a todos los gobernantes humanos; por eso se dice que es "el Rey de los que reinan y Señor de los que gobiernan como señores" (1 Timoteo 6:15). Jesús tiene el poder de hacer muchas más cosas buenas que *cualquier* gobernante humano, incluso que los mejores.

⁵ ¿Desde dónde gobernará el Reino de Dios? Pues bien, ¿dónde está Jesús? Tal como ya hemos visto, poco después de que lo ejecutaran en un madero de tormento y de que resucitara, ascendió al cielo (Hechos 2:33). Por lo tanto, allí es donde está el Reino de Dios: en el cielo. Por eso la Biblia lo llama un "reino celestial" (2 Timoteo 4:18). Pero aunque está en el cielo, ejercerá su poder sobre la Tierra (Revelación [Apocalipsis] 11:15).

⁶ Jesús es un Rey excepcional. ¿Por qué decimos esto? Para empezar, porque nunca morirá. La Biblia dice que, en comparación con los reyes humanos, él es "el único que tiene inmortalidad, que mora en luz inaccesible" (1 Timoteo 6:16). De manera que todas las cosas buenas que haga serán permanentes. Y sin duda hará muchas.

⁷ Fíjese en lo que predice la Biblia sobre Jesús: "Reposará sobre él el Espíritu de Jehová; espíritu de sabiduría y de inteligencia, espíritu de consejo y de poder, espíritu de conocimiento y de temor de Jehová. Y su deleite estará en el temor de Jehová. No juzgará según las apariencias, ni decidirá por lo que sepa de oídas; sino que juzgará con justicia a los pobres, y decidirá con equidad en favor de los mansos

---

4. ¿Qué es el Reino de Dios, y quién es su Rey?
5. ¿Desde dónde gobierna el Reino de Dios, y sobre qué ejercerá su poder?
6, 7. ¿Por qué es Jesús un Rey excepcional?

de la tierra" (Isaías 11:2-4, *Santa Biblia,* Reina-Valera, 1977).
Estas palabras muestran que Jesús va a reinar sobre los seres humanos con justicia y compasión. ¿Le gustaría tener
un gobernante así?

[8] Veamos otra característica del Reino de Dios: Jesús
no gobernará solo, sino acompañado de otros reyes. Por
ejemplo, el apóstol Pablo le dijo a Timoteo: "Si seguimos aguantando, también reinaremos juntos" (2 Timoteo
2:12). Así es, Pablo, Timoteo y otras personas fieles esco-
gidas por Dios gobernarán con Jesús en el Reino celestial.
¿Cuántos tendrán ese privilegio?

[9] Como se indicó en el capítulo 7 de este libro, el apóstol
Juan contempló en una visión al "Cordero [Jesucristo] de
pie sobre el monte Sión [su puesto de Rey en el cielo], y con
él ciento cuarenta y cuatro mil que tienen escritos en sus
frentes el nombre de él y el nombre de su Padre". ¿Quiénes
son esos 144.000? Juan mismo lo aclara: "Estos son los que
van siguiendo al Cordero no importa adónde vaya. Estos
fueron comprados de entre la humanidad como primicias
para Dios y para el Cordero" (Revelación 14:1, 4). En efecto,
son seguidores fieles de Jesucristo a quienes se elige para
que gobiernen con él en el cielo. Después de morir y de resucitar en el cielo, van a "reinar sobre la tierra" junto con
Jesús (Revelación 5:10). Desde los tiempos de los apóstoles,
Dios ha ido escogiendo a cristianos fieles a fin de comple-
tar la cifra de 144.000.

[10] Jehová ha sido muy amoroso al decidir que Jesús y
los 144.000 gobiernen a la humanidad. Para empezar, Jesús fue hombre y por eso conoce los sufrimientos del ser

---

8. ¿Quiénes gobernarán con Jesús?
9. ¿Cuántas personas gobernarán con Jesús, y cuándo empezó Dios
a escogerlas?
10. ¿Por qué ha sido Jehová muy amoroso al decidir que Jesús y los
144.000 gobiernen a la humanidad?

humano. Pablo dijo que no es alguien que "no pueda condolerse de nuestras debilidades, sino [alguien] que ha sido probado en todo sentido igual que nosotros, pero sin pecado" (Hebreos 4:15; 5:8). Los que gobernarán con él también han aguantado los sufrimientos propios de los seres humanos. Además, han luchado contra la imperfección y han padecido todo tipo de enfermedades. Sin duda entenderán los problemas que afronta la humanidad.

¿QUÉ HARÁ EL REINO DE DIOS?

[11] Jesús no solo mandó a sus discípulos que oraran para que viniera el Reino de Dios; también les dijo que debían pedir que se hiciera la voluntad de Jehová "como en el cielo, también sobre la tierra". En el cielo, donde está Dios, los ángeles fieles siempre han hecho la voluntad divina. No obstante, en el capítulo 3 de este libro aprendimos que un ángel malvado dejó de cumplir la voluntad de Dios y consiguió que Adán y Eva pecaran. En el capítulo 10 aprenderemos más acerca de lo que enseña la Biblia sobre ese ángel, que recibe el nombre de Satanás. Dios permitió que él y los espíritus que decidieron seguirlo —llamados demonios— permanecieran en el cielo por un tiempo. Por lo tanto, en los días de Jesús, no todos los seres que había en el cielo estaban haciendo la voluntad de Dios. Pero eso cambiaría cuando Jesucristo comenzara a gobernar en el Reino de Dios y luchara contra Satanás (Revelación 12:7-9).

[12] Las siguientes palabras proféticas revelan lo que pasaría: "Oí una voz fuerte en el cielo decir: '¡Ahora han acontecido la salvación y el poder y el reino de nuestro Dios y la autoridad de su Cristo, porque ha sido arrojado hacia abajo el acusador de nuestros hermanos [Satanás], que los acusa

---

11. ¿Por qué dijo Jesús que sus discípulos debían pedir a Dios que se hiciera su voluntad en el cielo?
12. ¿Qué dos importantes sucesos se mencionan en Revelación 12:10?

día y noche delante de nuestro Dios!'" (Revelación 12:10). ¿Se ha dado cuenta de que en ese versículo se mencionan dos importantes sucesos? En primer lugar, empieza a gobernar el Reino de Dios dirigido por Jesucristo. En segundo lugar, Satanás es expulsado del cielo y arrojado a la Tierra.

[13] Como veremos más adelante, esos dos acontecimientos ya han tenido lugar. ¿Cuáles han sido las consecuencias? Leamos lo que ocurrió en el cielo: "A causa de esto, ¡alégrense, cielos, y los que residen en ellos!" (Revelación 12:12). Así es, los ángeles fieles se alegran porque, como se echó a Satanás y sus demonios del cielo, todas las criaturas que allí quedan son fieles a Jehová Dios, y entre ellas reina una paz y armonía total. De modo que en el cielo ya se está haciendo la voluntad de Dios.

[14] ¿Qué puede decirse de la Tierra? La Biblia indica: "¡Ay de la tierra y del mar!, porque el Diablo ha descendido a ustedes, teniendo gran cólera, sabiendo que tiene un corto espacio de tiempo" (Revelación 12:12). Satanás está furioso porque se le ha expulsado del cielo y le queda poco tiempo. Como siente tanta cólera, se dedica a causar problemas en la Tierra. En el siguiente capítulo aprenderemos más acerca de tales dificultades. Pero, en vista de lo que hemos analizado, surge la pregunta: ¿cómo logrará el Reino que se haga la voluntad de Dios en la Tierra?

[15] Pues bien, recuerde cuál es la voluntad de Dios para la Tierra. Tal como aprendió en el capítulo 3, Jehová mostró en el jardín de Edén que desea que este planeta se convierta en un paraíso y se llene de seres humanos justos que nunca mueran. Cuando Satanás consiguió que Adán y Eva pe-

---

13. ¿Cuáles han sido las consecuencias de que se echara a Satanás del cielo?
14. ¿Cuál ha sido el resultado de que se haya arrojado a Satanás a la Tierra?
15. ¿Cuál es la voluntad de Dios para la Tierra?

caran, se vio afectado el cumplimiento de la voluntad de Dios para la Tierra, pero dicha voluntad no cambió. Jehová todavía quiere que se cumplan estas palabras: "Los justos mismos poseerán la tierra, y residirán para siempre sobre ella" (Salmo 37:29). Y el Reino de Dios logrará eso. ¿Cómo?

¹⁶ En Daniel 2:44 encontramos esta profecía: "En los días de aquellos reyes el Dios del cielo establecerá un reino que nunca será reducido a ruinas. Y el reino mismo no será pasado a ningún otro pueblo. Triturará y pondrá fin a todos estos reinos, y él mismo subsistirá hasta tiempos indefinidos". ¿Qué nos dice esta profecía sobre el Reino de Dios?

¹⁷ En primer lugar, menciona que dicho gobierno se establecería "en los días de aquellos reyes", es decir, mientras aún existieran otros reinos, o gobiernos. En segundo lugar, indica que el Reino subsistirá, o durará, para siempre. Ningún otro gobierno lo derrotará ni reemplazará. En tercer lugar, revela que habrá una guerra entre el Reino de Dios y los reinos de este mundo, y que el vencedor será el Reino de Dios. Al final, será el único gobierno que tenga la humanidad y será el mejor que esta ha conocido.

¹⁸ La Biblia da mucha información sobre esa guerra entre el Reino de Dios y los gobiernos de este mundo. Por ejemplo, señala que al acercarse el fin, los espíritus malos esparcirán mentiras para engañar a "los reyes de toda la tierra habitada". ¿Con qué propósito? "Para reunirlos a la guerra del gran día de Dios el Todopoderoso." Los reyes serán reunidos "en el lugar que en hebreo se llama Har–Magedón" (Revelación 16:14, 16). En vista de lo que dicen estos dos versículos, ese enfrentamiento entre los gobiernos humanos y el Reino de Dios recibe el nombre de batalla de Har–Magedón, o Armagedón.

16, 17. ¿Qué nos dice Daniel 2:44 sobre el Reino de Dios?
18. ¿Cómo se llama la guerra entre el Reino de Dios y los gobiernos de este mundo?

¹⁹ ¿Qué logrará el Reino de Dios mediante Armagedón? Pensemos de nuevo en la voluntad de Jehová para la Tierra: que se convierta en un paraíso y se llene de personas perfectas y justas que le sirvan a él. ¿Qué impide que dicha voluntad se esté haciendo ahora mismo? El primer problema es que somos pecadores, de modo que nos enfermamos y morimos. Sin embargo, en el capítulo 5 aprendimos que Jesús murió por nosotros a fin de que podamos vivir para siempre. Seguramente recordará estas palabras del Evangelio de Juan: "Tanto amó Dios al mundo que dio a su Hijo unigénito, para que todo el que ejerce fe en él no sea destruido, sino que tenga vida eterna" (Juan 3:16).

²⁰ Otro problema es que hay muchas personas que se comportan mal. Mienten, engañan y llevan vidas inmorales. *No quieren* hacer la voluntad de Dios. Pero los que practican el mal serán destruidos en Armagedón, la guerra de Dios (Salmo 37:10). Otra razón más por la que no se está llevando a cabo la voluntad de Dios en la Tierra es que los gobiernos no animan a la gente a hacerla. Muchos de ellos han sido débiles, crueles o corruptos. Bien claro lo dice la Biblia: "El hombre ha dominado al hombre para perjuicio suyo" (Eclesiastés 8:9).

²¹ No obstante, después de Armagedón, la humanidad vivirá bajo un solo gobierno, el Reino de Dios. Ese Reino cumplirá la voluntad divina y traerá maravillosas bendiciones. Por ejemplo, eliminará de la escena a Satanás y sus demonios (Revelación 20:1-3). Hará que se aplique el poder del sacrificio de Jesús y, como consecuencia, los humanos fieles ya no se enfermarán ni morirán, sino que

---

19, 20. ¿Qué impide que la voluntad de Dios se esté haciendo ahora mismo en la Tierra?
21. ¿Cómo logrará el Reino que se haga la voluntad de Dios en la Tierra?

La expulsión de Satanás y sus demonios del cielo causó problemas en la Tierra. Pero estos terminarán pronto

podrán vivir para siempre (Revelación 22:1-3). Además, transformará la Tierra en un paraíso. De ese modo, el Reino logrará que se haga la voluntad de Dios en la Tierra y santificará el nombre de Dios. ¿Qué significa eso? Que gracias al Reino, todas las personas llegarán a respetar y honrar el nombre de Jehová.

¿CUÁNDO ACTUARÁ EL REINO DE DIOS?

[22] Cuando Jesús les dijo a sus discípulos que le pidieran a Dios "Venga tu reino", estaba claro que en aquel entonces el Reino aún no había venido. ¿Vino cuando Jesús ascendió al cielo? Tampoco, porque tanto Pedro como Pablo señalaron que después de que Jesús resucitó, se cumplió en él la siguiente profecía de Salmo 110:1: "La expresión de Jehová a mi Señor es: 'Siéntate a mi diestra hasta que coloque a tus enemigos como banquillo para tus pies'" (Hechos 2:32-34; Hebreos 10:12, 13). Así pues, Jesucristo tendría que esperar un tiempo.

[23] ¿Cuánto tendría que esperar? Durante el siglo XIX, un grupo de estudiantes sinceros de la Biblia calculó que el período de espera terminaría en 1914. (Si desea más información sobre esta fecha, consulte el apéndice, páginas 215

---

22. ¿Cómo sabemos que el Reino de Dios no vino mientras Jesús estuvo en la Tierra ni justo después de su resurrección?
23. a) ¿Cuándo empezó a gobernar el Reino de Dios? b) ¿De qué trata el siguiente capítulo?

El Reino logrará que se haga la voluntad de Dios en la Tierra, tal como se hace en el cielo

---

LO QUE LA BIBLIA ENSEÑA

- El Reino de Dios es un gobierno celestial. El Rey es Jesucristo, y junto con él gobernarán 144.000 personas elegidas de entre la humanidad (Revelación 14:1, 4).

- El Reino empezó a gobernar en 1914, y después de eso Satanás fue expulsado del cielo y arrojado a la Tierra (Revelación 12:9).

- El Reino de Dios destruirá pronto los gobiernos humanos y convertirá la Tierra en un paraíso (Revelación 16:14, 16).

---

a 218.) Los sucesos mundiales que han tenido lugar desde 1914 confirman que el cálculo de aquellos estudiantes de la Biblia era correcto. El cumplimiento de las profecías bíblicas muestra que en 1914 Jehová hizo Rey a Cristo y el Reino celestial de Dios comenzó a gobernar. Por lo tanto, estamos viviendo en el "corto espacio de tiempo" que le queda a Satanás (Revelación 12:12; Salmo 110:2). También podemos afirmar que el Reino va a actuar pronto para que se haga la voluntad de Dios en la Tierra. ¿Le parece una buena noticia? ¿Cree que será verdad? El siguiente capítulo le mostrará lo que la Biblia realmente enseña sobre estos asuntos.

CAPÍTULO 9

¿Vivimos en "los últimos días"?

¿Qué sucesos de nuestro tiempo predijo la Biblia?

Según la Palabra de Dios, ¿cómo sería la gente en "los últimos días"?

¿Qué cosas buenas predijo la Biblia para "los últimos días"?

AL VER las noticias por televisión, ¿se ha preguntado alguna vez en qué irá a parar este mundo? Hoy se producen tragedias de forma tan inesperada que ningún ser humano puede predecir lo que pasará el día de mañana (Santiago 4:14). Pero Jehová sí lo sabe (Isaías 46:10). Hace mucho tiempo, su Palabra, la Biblia, predijo no solo las desgracias que ocurren en la actualidad, sino también las cosas maravillosas que sucederán en el futuro cercano.

² Jesucristo habló del Reino de Dios, el gobierno que acabará con la maldad y convertirá la Tierra en un paraíso (Lucas 4:43). La gente que escuchó a Jesús quería saber cuándo vendría ese Reino. De hecho, sus discípulos le preguntaron: "[¿]Qué será la señal de tu presencia y de la conclusión del sistema de cosas?" (Mateo 24:3). Él les contestó que el único que sabía exactamente cuándo vendría el fin de este mundo malvado era Jehová Dios (Mateo 24:36). Sin embargo, Jesús predijo las cosas que pasarían en la Tierra justo antes de que el Reino trajera paz y seguridad. Y los sucesos que él predijo están ocurriendo hoy.

---

1. ¿Dónde se nos dice lo que sucederá en el futuro?
2, 3. ¿Qué pregunta le hicieron a Jesús sus discípulos, y qué les contestó él?

³ Antes de examinar las pruebas de que estamos viviendo en "la conclusión del sistema de cosas", hablemos brevemente de una guerra que ningún ser humano pudo haber observado. Esta guerra tuvo lugar en la región invisible donde viven los espíritus, y su resultado nos afecta a nosotros directamente.

GUERRA EN EL CIELO

⁴ En el capítulo anterior se mencionó que Jesucristo comenzó a reinar en el cielo en el año 1914 (Daniel 7:13, 14). Poco después entró en acción. La Biblia relata: "Estalló guerra en el cielo: Miguel [otro nombre de Jesús] y sus ángeles combatieron con el dragón [Satanás], y el dragón y sus ángeles combatieron".* El Diablo y sus malvados ángeles, los demonios, perdieron la guerra y fueron arrojados a la Tierra. Los ángeles fieles se alegraron de que Satanás y sus demonios ya no estuvieran en el cielo. Pero los humanos no estarían tan contentos. La Biblia lo predijo así: "¡Ay de la tierra [...]!, porque el Diablo ha descendido a ustedes, teniendo gran cólera, sabiendo que tiene un corto espacio de tiempo" (Revelación [Apocalipsis] 12:7, 9, 12).

⁵ Fíjese en el resultado de la guerra que estallaría en el cielo: el Diablo se enfurecería y causaría dificultades a los habitantes de la Tierra. Como vamos a ver, ahora estamos viviendo en ese difícil período. Pero este sería relativamente breve, solo "un corto espacio de tiempo", y hasta Satanás lo sabe. La Biblia llama a este período "los últimos días" (2 Timoteo 3:1). ¡Cuánto nos alegramos de que Dios pronto vaya a eliminar de la Tierra la influencia del Diablo!

---

* En el apéndice, págs. 218, 219, se demuestra que Miguel es otro nombre que recibe Jesucristo.

4, 5. a) ¿Qué ocurrió en el cielo poco después de que Jesús comenzó a reinar? b) Según Revelación 12:12, ¿qué resultado tendría la guerra que estallaría en el cielo?

88

Analicemos algunas de las cosas que la Biblia predijo y que están ocurriendo hoy. Estos sucesos demuestran que vivimos en los últimos días y que pronto, bajo el Reino de Dios, quienes aman a Jehová disfrutarán para siempre de muchas bendiciones. En primer lugar, veamos cuatro aspectos de la señal que, según indicó Jesús, marcaría nuestros tiempos.

SUCESOS DESTACADOS DE LOS ÚLTIMOS DÍAS

⁶ *"Se levantará nación contra nación y reino contra reino."* (Mateo 24:7.) En los últimos cien años han muerto millones de personas a causa de las guerras. Un historiador británico escribió: "El siglo XX fue el más sangriento de la historia. [...] Fue un siglo en el que hubo guerras casi de continuo, pues solo en unos pocos y breves períodos no se produjeron conflictos armados en ningún lugar". Un informe del Instituto Worldwatch indica: "En las guerras [del siglo XX] hubo el triple de muertos que en todas las guerras desde el siglo I después de Cristo hasta 1899". Más de cien millones de seres humanos han fallecido por esta razón desde 1914. Así pues, las guerras han dejado a una enorme cantidad de per-

6, 7. ¿Cómo se están cumpliendo hoy en día las palabras de Jesús sobre las guerras y la escasez de alimentos?

sonas sin sus seres queridos. Tal vez usted mismo ha pasado por esa dolorosa experiencia.

7 *"Habrá escaseces de alimento."* (Mateo 24:7.) Los investigadores dicen que en los últimos treinta años ha aumentado mucho la producción de alimentos. Sin embargo, sigue habiendo escasez porque mucha gente no tiene terreno donde cultivar los alimentos ni dinero para comprarlos. En los países en desarrollo, más de mil millones de personas sobreviven con muy poco: un dólar al día, o incluso menos. Y la mayoría de ellas sufren de hambre crónica. La Organización Mundial de la Salud señala que la desnutrición es uno de los principales factores que contribuyen a que mueran más de cinco millones de niños al año.

8 *"Habrá grandes terremotos."* (Lucas 21:11.) Según el Servicio Geológico de Estados Unidos, tan solo desde 1990 ha habido un promedio anual de diecisiete terremotos lo bastante intensos como para dañar edificios y agrietar la tierra. Y casi todos los años ha habido también terremotos que han causado la destrucción total de edificios. Otra fuente de información indica: "En los últimos cien años han muerto cientos

---

8, 9. ¿Qué demuestra que las profecías de Jesús sobre los terremotos y las enfermedades se han cumplido?

de miles de personas debido a los terremotos, y los adelantos tecnológicos solo han logrado reducir un poco esa cantidad".

[9] *"Habrá [...] pestes."* (Lucas 21:11.) A pesar de los avances de la medicina, la humanidad está plagada de enfermedades, tanto antiguas como nuevas. Según cierto informe, en las últimas décadas se han hecho más comunes veinte enfermedades que ya se conocían —como la tuberculosis, el paludismo (o malaria) y el cólera—, y otras se han vuelto cada vez más difíciles de curar con medicamentos. Además, han aparecido por lo menos treinta enfermedades nuevas. Algunas de ellas son mortales y hasta ahora no tienen cura.

LA GENTE DE LOS ÚLTIMOS DÍAS

[10] La Biblia no solo predijo que los últimos días estarían marcados por ciertos sucesos mundiales, sino también por un cambio en la sociedad humana. El apóstol Pablo describió cómo sería la gente en general. En 2 Timoteo 3:1-5 leemos: "En los últimos días se presentarán tiempos críticos, difíciles de manejar". Estas son algunas de las características que tendrían las personas, según indicó Pablo:

---

10. ¿Qué características predichas en 2 Timoteo 3:1-5 ve usted hoy en las personas?

- *se amarían a sí mismas*
- *amarían el dinero*
- *no obedecerían a sus padres*
- *serían desleales*
- *no sentirían cariño natural*
- *no sabrían dominarse*
- *serían feroces*
- *amarían los placeres más bien que a Dios*
- *aparentarían tener devoción a Dios, pero con sus hechos demostrarían que esta no tiene poder en su vida*

11 ¿Se ha vuelto así la gente de su comunidad? Seguramente. Por todas partes hay personas que se comportan de ese modo. Esto muestra que Dios actuará pronto, pues la Biblia dice: "Cuando los inicuos [o malos] brotan como la vegetación, y todos los practicantes de lo que es perjudicial florecen, es para que sean aniquilados para siempre" (Salmo 92:7).

SUCESOS POSITIVOS

12 En estos últimos días hay, sin duda, muchas dificultades, tal como

11. Según lo que dice Salmo 92:7, ¿qué le sucederá a la gente mala?
12, 13. ¿Qué ejemplos hay de que "el verdadero conocimiento" se ha hecho abundante en este "tiempo del fin"?

predijo la Biblia. Sin embargo, entre los siervos de Jehová tienen lugar algunos sucesos positivos.

[13] *"El verdadero conocimiento se hará abundante"*, profetizó el libro bíblico de Daniel. ¿Cuándo se cumplirían esas palabras? En "el tiempo del fin" (Daniel 12:4). Desde 1914 en particular, Jehová ha ayudado a quienes desean servirle a que comprendan mejor algunas verdades bíblicas muy valiosas. Por ejemplo, las que tienen que ver con el nombre y el propósito de Dios, el sacrificio de Jesucristo, el estado de los muertos y la resurrección. Los siervos de Jehová han aprendido también a llevar una vida que los beneficia a ellos y alaba a Dios. Han entendido con más claridad lo que es el Reino de Dios y cómo arreglará la situación de la Tierra. ¿Qué hacen con ese conocimiento? Esta pregunta nos lleva a otra profecía que se está cumpliendo en estos últimos días.

[14] *"Estas buenas nuevas del reino se predicarán en toda la tierra habitada"*, dijo Jesucristo en su profecía sobre "la conclusión del sistema de cosas" (Mateo 24:3, 14). Por todo el planeta se están predicando las buenas nuevas del Reino, es decir, lo que es el Reino, lo que hará y cómo podemos recibir sus bendiciones. Estas buenas noticias se llevan a más de doscientos treinta países y se presentan en más de cuatrocientos idiomas. Millones de testigos de Jehová procedentes de 'todas las naciones, tribus, pueblos y lenguas' predican con entusiasmo las buenas nuevas del Reino (Revelación 7:9). Además, dan clases bíblicas gratuitas a millones de personas que desean saber lo que enseña realmente la Biblia. Sin duda impresiona ver cómo se está cumpliendo esta profecía, sobre todo si se tiene en cuenta que Jesús predijo que los verdaderos cristianos serían "objeto de odio de parte de toda la gente" (Lucas 21:17).

14. ¿Hasta qué punto se están predicando las buenas nuevas del Reino, y quiénes lo hacen?

"Estas buenas nuevas del reino se predicarán en toda la tierra habitada." (Mateo 24:14)

¿QUÉ HARÁ USTED?

[15] En vista de que en la actualidad se están cumpliendo tantas profecías bíblicas, ¿no cree que vivimos en los últimos días? Las buenas nuevas se van a predicar hasta que Jehová quede satisfecho, y entonces sin falta "vendrá el fin" (Mateo 24:14). "El fin" se refiere al momento en el que Dios eliminará la maldad de la Tierra. Mediante Jesús y los poderosos ángeles destruirá a todas las personas que se empeñen en oponerse a él (2 Tesalonicenses 1:6-9). Satanás y sus demonios ya no engañarán más a las naciones. Después de eso, el Reino de Dios traerá muchas bendiciones a todos los que se sometan a su justo gobierno (Revelación 20:1-3; 21:3-5).

[16] Como el fin del sistema de Satanás está cerca, cada uno de nosotros tiene que preguntarse: "¿Qué debería estar haciendo yo?". Lo más sabio es seguir aprendiendo acerca de Jehová y de lo que él espera de nosotros (Juan 17:3). Estudie la Biblia con interés y esmero. Acostúmbrese a asistir a las reuniones que celebran quienes se esfuerzan por hacer la voluntad de Jehová (Hebreos 10:24, 25). Adquiera el abundante conocimiento que él nos ofrece a todos, y haga los cambios necesarios para agradarle (Santiago 4:8).

[17] Jesús predijo que la mayoría de la gente no prestaría atención a las pruebas de que vivimos en los últimos días. La destrucción de los malvados llegará de pronto, cuando nadie lo espere, y tomará por sorpresa a casi todo el mundo, como lo hace el ladrón que actúa de noche (1 Tesalonicenses 5:2). Jesús advirtió: "Así como eran los días de Noé, así será la presencia del Hijo del hombre. Porque como en aquellos días antes del diluvio estaban comiendo y bebien-

---

15. a) ¿Cree usted que vivimos en los últimos días, y por qué responde así? b) ¿Qué significará "el fin" para quienes se opongan a Jehová y para quienes se sometan al Reino de Dios?
16. ¿Qué sería sabio que usted hiciera?
17. ¿Por qué tomará por sorpresa a casi todo el mundo la destrucción de los malvados?

do, los hombres casándose y las mujeres siendo dadas en matrimonio, hasta el día en que Noé entró en el arca; y no hicieron caso hasta que vino el diluvio y los barrió a todos, así será la presencia del Hijo del hombre" (Mateo 24: 37-39).

¹⁸ Por lo tanto, Jesús advirtió: "Presten atención a sí mismos para que sus corazones nunca lleguen a estar cargados debido a comer con exceso y beber con exceso, y por las inquietudes de la vida, y de repente esté aquel día sobre ustedes instantáneamente como un lazo. Porque vendrá sobre todos los que moran sobre la haz de toda la tierra. Manténganse despiertos, pues, en todo tiempo haciendo ruego para que logren escapar de todas estas cosas que están destinadas a suceder, y estar en pie [es decir, aprobados] delante del Hijo del hombre" (Lucas 21:34-36). Debemos tomar en serio las palabras de Jesús. ¿Por qué? Porque las personas que tengan la aprobación de Jehová Dios y del "Hijo del hombre", Jesucristo, podrán sobrevivir al fin del mundo de Satanás. Y además, podrán vivir para siempre en el maravilloso nuevo mundo que tan cerca está (Juan 3:16; 2 Pedro 3:13).

18. ¿Qué advertencia de Jesús debemos tomar en serio?

LO QUE LA BIBLIA ENSEÑA

- Los últimos días están marcados por guerras, escasez de alimentos, terremotos y enfermedades (Mateo 24:7; Lucas 21:11).

- En los últimos días, muchas personas se aman a sí mismas y aman el dinero y los placeres, pero no a Dios (2 Timoteo 3:1-5).

- Durante estos últimos días, las buenas nuevas del Reino se están predicando por toda la Tierra (Mateo 24:14).

CAPÍTULO 10

¿Cómo influyen en nosotros las criaturas espirituales?

¿Ayudan los ángeles a los seres humanos?
¿Cómo han influido los malos espíritus en la gente?
¿Debemos tenerles miedo a los malos espíritus?

NORMALMENTE, conocer a alguien implica saber algunas cosas sobre su familia. De igual modo, conocer a Jehová Dios implica tener cierta información sobre su familia celestial. Esta se compone de ángeles, pues la Biblia los llama "hijos de Dios" (Job 38:7). Pero ¿cómo los utiliza Jehová para realizar su propósito? ¿Han cumplido alguna función en la historia de la humanidad? ¿Influyen los ángeles en nuestra vida? Si así es, ¿cómo?

[2] La Biblia menciona a los ángeles cientos de veces. Analicemos algunas de ellas para conocerlos mejor. ¿Qué origen tienen los ángeles? Colosenses 1:16 responde: "Por medio de [Jesucristo] todas las otras cosas fueron creadas en los cielos y sobre la tierra". Así pues, todos los seres espirituales llamados ángeles fueron creados individualmente por Jehová Dios mediante su Hijo primogénito. ¿Cuántos ángeles hay? La Biblia indica que hay cientos de millones y que todos ellos son poderosos (Salmo 103:20).*

---

* Revelación (Apocalipsis) 5:11 dice sobre los ángeles justos: "El número de ellos era miríadas de miríadas", o "diez mil veces decenas de miles" (según indica la nota). De modo que, tal como dicen las Escrituras, Dios creó cientos de millones de ángeles.

---

1. ¿Por qué deberíamos interesarnos por conocer mejor a los ángeles?
2. ¿Qué origen tienen los ángeles, y cuántos hay?

[3] La Palabra de Dios, la Biblia, nos informa que cuando Jehová creó la Tierra, "todos los hijos de Dios empezaron a gritar en aplauso" (Job 38:4-7). Este pasaje bíblico nos enseña que los ángeles ya existían mucho antes de la creación del hombre, pues existían incluso antes de la creación de la Tierra. También muestra que los ángeles tienen sentimientos, porque dice que *"gozosamente* clamaron a una". Note que *"todos* los hijos de Dios" se alegraron *"a una"*, es decir, a la vez. Así que en aquel entonces, todos los ángeles formaban parte de una sola familia que servía unida a Jehová.

AYUDA Y PROTECCIÓN DE LOS ÁNGELES

[4] Desde que observaron la creación de nuestros primeros padres, las criaturas espirituales fieles han demostrado mucho interés en la creciente familia humana y en el cumplimiento del propósito de Dios (Proverbios 8:30, 31; 1 Pedro 1:11, 12). Sin embargo, con el paso del tiempo han visto cómo la mayor parte de la humanidad ha decidido no servir a su amoroso Creador. Sin duda, esto ha entristecido a los ángeles fieles. Por otra parte, cuando regresa a Jehová aunque sea una sola persona, "surge gozo entre los ángeles" (Lucas 15:10). Como hemos visto, a ellos les importa mucho el bienestar de los siervos de Dios. Por eso no nos sorprende que Jehová los haya utilizado en muchas ocasiones para fortalecer y proteger a quienes le son fieles en la Tierra (Hebreos 1:7, 14). Veamos algunos ejemplos.

[5] Cuando Dios destruyó las malvadas ciudades de Sodoma y Gomorra, el justo Lot y sus hijas sobrevivieron gracias a que dos ángeles los sacaron de la zona (Génesis 19:15, 16). Siglos después, el profeta Daniel fue arrojado a un foso en el que había leones, pero no sufrió ningún daño. Él explicó así

---

3. ¿Qué nos enseña Job 38:4-7 acerca de los ángeles?
4. ¿Cómo muestra la Biblia que los ángeles fieles se interesan en lo que hacen los seres humanos?
5. ¿Qué ejemplos encontramos en la Biblia de personas a quienes los ángeles ayudaron?

la razón: "Mi propio Dios envió a su ángel y cerró la boca de los leones" (Daniel 6:22). En el siglo primero de nuestra era, un ángel liberó al apóstol Pedro de la prisión (Hechos 12:6-11). También Jesús recibió ayuda angélica cuando comenzaba su servicio a Dios en la Tierra (Marcos 1:13). Y poco antes de su muerte, se le apareció un ángel y "lo fortaleció" (Lucas 22:43). ¡Cuánto debió de animar a Jesús recibir ese apoyo en momentos tan importantes de su vida!

⁶ Hoy en día no vemos a estas criaturas espirituales, pues ya no se aparecen a los siervos de Jehová en la Tierra. Sin embargo, los poderosos ángeles siguen protegiendo al pueblo de Dios, sobre todo de las cosas que ponen en peligro su espiritualidad. La Biblia dice: "El ángel de Jehová está acampando todo en derredor de los que le temen, y los libra" (Salmo 34:7). ¿Por qué deberían animarnos mucho esas palabras? Porque hay peligrosos espíritus malignos, los cuales quieren acabar con nosotros. ¿Quiénes son? ¿De dónde salieron? ¿De qué formas tratan de perjudicarnos? Para averiguarlo, veamos brevemente algo que sucedió en los comienzos de la historia de la humanidad.

ESPÍRITUS QUE SON NUESTROS ENEMIGOS

⁷ Como aprendimos en el capítulo 3, hubo un ángel que se dejó llevar por el deseo de gobernar a otras personas, y de ese modo se puso en contra de Dios. Más tarde se le llegó a conocer por los nombres de Satanás y Diablo (Revelación 12:9). Después de engañar a Eva, durante un período de mil seiscientos años consiguió que casi todos los seres humanos se apartaran de Dios. Solo unos cuantos fueron fieles; por ejemplo, Abel, Enoc y Noé (Hebreos 11:4, 5, 7).

⁸ En tiempos de Noé hubo otros ángeles que se rebelaron

---

6. a) ¿Cómo protegen los ángeles al pueblo de Dios hoy en día? b) ¿Qué preguntas vamos a contestar a continuación?
7. ¿A cuántos humanos consiguió Satanás apartar de Dios?
8. a) ¿Cómo se convirtieron en demonios algunos ángeles? b) ¿Qué tuvieron que hacer los demonios para sobrevivir al Diluvio?

contra Jehová. Dejaron su lugar en la familia celestial de Dios, bajaron a la Tierra y tomaron cuerpos de carne y hueso. ¿Por qué? Génesis 6:2 nos explica: "Los hijos del Dios verdadero empezaron a fijarse en las hijas de los hombres, que ellas eran bien parecidas; y se pusieron a tomar esposas para sí, a saber, todas las que escogieron". Aquellos ángeles estaban corrompiendo a la humanidad, pero Jehová Dios no iba a tolerarlo por mucho tiempo. De modo que mandó un diluvio que acabó con toda la gente mala del mundo; solo se salvaron sus siervos fieles (Génesis 7:17, 23). Para sobrevivir, los ángeles rebeldes, o demonios, se vieron obligados a abandonar sus cuerpos humanos y regresar al cielo como seres espirituales. Con sus acciones demostraron que

"Mi propio Dios envió a su ángel
y cerró la boca de los leones."
(Daniel 6:22)

se habían puesto del lado del Diablo, quien de esa forma se convirtió en "el gobernante de los demonios" (Mateo 9:34).

[9] Cuando los ángeles desobedientes regresaron al cielo, Dios no les permitió que siguieran formando parte de su familia celestial, igual que había hecho con Satanás (2 Pedro 2:4). Aunque ahora no pueden tomar cuerpos de carne y hueso, estos demonios todavía ejercen una terrible influencia en los humanos. De hecho, con su ayuda, Satanás "está extraviando a toda la tierra habitada" (Revelación 12:9; 1 Juan 5:19). ¿Cómo? Los demonios tienen varios métodos para extraviar, o engañar, a la gente (2 Corintios 2:11). Analicemos algunos de ellos.

CÓMO ENGAÑAN LOS DEMONIOS

[10] Los demonios utilizan el espiritismo para engañar a la gente. El espiritismo es el conjunto de prácticas con las que se establece relación con los demonios, sea directamente o a través de un médium. La Biblia condena estas prácticas y nos advierte que evitemos todo lo relacionado con ellas (Gálatas 5:19-21). Se podría comparar el espiritismo al cebo, o carnada, que usan los pescadores. El pescador emplea diversos tipos de cebo para atrapar distintos tipos de peces. De igual modo, los malos espíritus utilizan diferentes formas de espiritismo para que distintos tipos de personas caigan bajo su control.

[11] Un tipo de cebo que usan los demonios es la adivinación. ¿Qué abarca la adivinación? Todas las prácticas con las que se intenta conocer el futuro o lo oculto. Algunas formas de adivinación son la astrología, el uso de la bola de cristal, el empleo de cartas —como las del tarot—, la lectura de la palma de la mano y la búsqueda de revelaciones o señales misteriosas en los sueños. Aunque muchos creen que

9. a) ¿Qué les sucedió a los demonios cuando regresaron al cielo?
b) ¿Qué vamos a analizar acerca de los demonios?
10. ¿Qué es el espiritismo?
11. ¿Qué abarca la adivinación, y por qué debemos evitarla?

Los demonios utilizan distintos métodos para engañar a la gente

estas prácticas son inofensivas, la Biblia muestra que los adivinos trabajan en colaboración con los espíritus malos. Por ejemplo, Hechos 16:16-18 dice que "un demonio de adivinación" hacía posible que una muchacha practicara "el arte de la predicción". Por eso, tan pronto como fue librada del demonio, la muchacha perdió esa habilidad.

¹² Otra forma que tienen los demonios de engañar a la gente es animándola a comunicarse con los muertos. A los que lloran la muerte de seres queridos, a menudo se les hace creer cosas sobre los muertos que no son ciertas. Puede que un médium les dé información poco conocida sobre el difunto o hable con una voz que parezca la suya. Esto ha llevado a muchas personas a pensar que los muertos en realidad están vivos y que si se comunican con ellos recibirán consuelo. Pero tal consuelo es falso y, además, peligroso. ¿Por qué? Porque los demonios pueden imitar la voz de los muertos y dar a los médium información sobre ellos (1 Samuel 28:3-19). Por otra parte, como aprendimos en el capítulo 6, cuando alguien

---

12. ¿Por qué es peligroso intentar comunicarse con los muertos?

CÓMO OPONERSE A LOS MALOS ESPÍRITUS

- Deshágase de todos los objetos espiritistas que tenga
- Estudie la Biblia
- Ore a Dios

fallece, deja de existir (Salmo 115:17). De modo que todo el que "pregunt[a] a los muertos" ha sido engañado por los malos espíritus y actúa en contra de la voluntad de Dios (Deuteronomio 18:10, 11; Isaías 8:19). Por lo tanto, haga todo lo posible por evitar esa peligrosa carnada de los demonios.

¹³ Los espíritus malignos no solo engañan a la gente, sino que también la asustan. Satanás y sus demonios saben que solo les queda "un corto espacio de tiempo" para que los eliminen de la escena; por eso actúan con más crueldad que nunca (Revelación 12:12, 17). Aun así, miles de personas que antes vivían atemorizadas por esos espíritus han podido librarse de ellos. ¿Cómo lo han logrado? ¿Cómo puede uno librarse de los demonios, incluso si ha estado practicando el espiritismo?

CÓMO OPONERSE A LOS MALOS ESPÍRITUS

¹⁴ La Biblia nos dice cómo oponernos a los espíritus malos y cómo librarnos de ellos. Veamos el ejemplo de los cristianos que vivían en la ciudad de Éfeso en el siglo primero. Antes de hacerse cristianos, algunos de ellos habían practicado el espiritismo. Cuando decidieron dejar de hacerlo, ¿qué paso dieron? La Palabra de Dios indica: "Buen número de los que habían practicado artes mágicas juntaron sus libros y los quemaron delante de todos" (Hechos 19:19). Aquellos nuevos cristianos destruyeron sus libros de magia, y así dieron el ejemplo a la gente de la actualidad que quiera oponerse a los espíritus malos. Quienes deseen servir a Jehová tienen que deshacerse de todos los objetos relacionados con el espiritismo. Eso incluye libros, revistas, películas, carteles y grabaciones musicales que animen a practicar el espiritismo o lo presenten como algo atractivo y emocionante.

---

13. ¿Qué han logrado muchas personas que antes temían a los demonios?
14. ¿Cómo podemos librarnos de los malos espíritus, siguiendo el ejemplo de los cristianos de Éfeso del siglo primero?

También incluye los amuletos u otros objetos que suele llevar la gente para protegerse del mal (1 Corintios 10:21).

¹⁵ Unos años después de que los cristianos de Éfeso destruyeron sus libros de magia, el apóstol Pablo les escribió: "Tenemos una lucha [...] contra las fuerzas espirituales inicuas [o malvadas]" (Efesios 6:12). Eso indica que los demonios no se habían rendido. Aún intentaban tener a los cristianos bajo su control. Así pues, ¿qué más tenían que hacer estos? "Sobre todo —les dijo Pablo—, tomen el escudo grande de la fe, con el cual podrán apagar todos los proyectiles encendidos del inicuo", es decir, de Satanás (Efesios 6:16). Cuanto más fuerte sea nuestro escudo de la fe, mejor podremos oponernos a las fuerzas espirituales malvadas (Mateo 17:20).

¹⁶ Entonces, ¿cómo podemos fortalecer la fe? Estudiando la Biblia. Para que un muro sea sólido, es muy importante que tenga cimientos fuertes. Del mismo modo, para que nuestra fe sea sólida, debe tener un fundamento fuerte: el conocimiento exacto de la Palabra de Dios. Si leemos y estudiamos la Biblia todos los días, nuestra fe se fortalecerá. Como un muro sólido, esa fe nos servirá de escudo contra la influencia de los espíritus malos (1 Juan 5:5).

¹⁷ ¿Qué más tenían que hacer los cristianos de Éfeso? Como vivían en una ciudad llena de demonismo, necesitaban más protección aún. Por eso, Pablo les dijo: "Con toda forma de oración y ruego, [oren] en toda ocasión en espíritu" (Efesios 6:18). Como nosotros también vivimos en un mundo lleno de demonismo, para hacer frente a los ataques de los malos espíritus es esencial que le roguemos a Jehová que nos proteja. Algo fundamental es que mencionemos el nombre de Jehová en las oraciones (Proverbios 18:10). Además, tenemos que pedirle constantemente que 'nos libre del

---

15. ¿Qué tenemos que hacer para oponernos a las fuerzas espirituales malvadas?
16. ¿Cómo podemos fortalecer la fe?
17. ¿Qué debemos hacer para protegernos de los demonios?

inicuo', Satanás (Mateo 6:13). Sin duda alguna, Dios contestará esos ruegos (Salmo 145:19).

[18] Es cierto que los espíritus malignos son peligrosos. Pero no tenemos por qué vivir atemorizados por ellos si nos oponemos al Diablo y nos acercamos a Dios haciendo Su voluntad (Santiago 4:7, 8). El poder de los malos espíritus tiene límites. En tiempos de Noé, los demonios fueron castigados, y en el futuro recibirán su juicio final (Judas 6). Recuerde también que contamos con la protección de los poderosos ángeles de Jehová (2 Reyes 6:15-17). Ellos están muy pendientes de nuestra lucha contra los espíritus malos y desean que la ganemos. Por así decirlo, nos aplauden para animarnos. Por lo tanto, sigamos unidos a Jehová y a su familia de criaturas espirituales fieles. Además, evitemos todo tipo de espiritismo y pongamos siempre en práctica los consejos de la Palabra de Dios (1 Pedro 5:6, 7; 2 Pedro 2:9). De esa forma, seguro que venceremos en nuestra lucha contra los seres espirituales malvados.

[19] Pero ¿por qué ha permitido Dios que sigan existiendo tanto los malos espíritus como la maldad, que tanto sufrimiento ha causado? En el siguiente capítulo se responderá esta pregunta.

18, 19. a) ¿Por qué podemos estar seguros de que venceremos en nuestra lucha contra los espíritus malvados? b) ¿Qué pregunta se responderá en el siguiente capítulo?

LO QUE LA BIBLIA ENSEÑA

- Los ángeles fieles ayudan a los siervos de Jehová (Hebreos 1:7, 14).

- Satanás y sus demonios engañan a la gente y la apartan de Dios (Revelación 12:9).

- Si hace la voluntad de Dios y se opone al Diablo, este huirá de usted (Santiago 4:7, 8).

CAPÍTULO 11

¿Por qué permite Dios el sufrimiento?

¿Es Dios el causante del sufrimiento que hay en el mundo?
¿Qué cuestión surgió en el jardín de Edén?
¿Cómo reparará Dios todo el daño que se ha causado?

EN UN país desgarrado por la guerra, hubo una terrible batalla que causó la muerte de miles de mujeres y niños. Todos estos civiles fueron enterrados en una fosa común rodeada de pequeñas cruces con una misma inscripción: "¿Por qué?". Esa es la pregunta que más hacen quienes pasan por experiencias muy dolorosas. La hacen con tristeza cuando una guerra, una catástrofe, una enfermedad o un acto violento se lleva a sus seres queridos inocentes, destruye sus casas o los hace sufrir terriblemente de otras maneras. Quieren saber por qué les suceden esas desgracias.

2 ¿Por qué permite Jehová Dios el sufrimiento? Si es todopoderoso, amoroso, sabio y justo, ¿por qué hay tanto odio e injusticia en el mundo? ¿Alguna vez se ha hecho usted esas preguntas?

3 ¿Hay algo de malo en preguntar por qué permite Dios el sufrimiento? Algunos creen que si lo hacen demuestran que les falta fe o que no le tienen respeto a Dios. Sin embargo, al

---

1, 2. ¿Qué experiencias nos hacen sufrir, y qué preguntas se hacen muchas personas?
3, 4. a) ¿Qué ejemplo demuestra que no hay nada de malo en preguntar por qué permite Dios el sufrimiento? b) ¿Qué piensa Jehová de la maldad y el sufrimiento?

Jehová acabará con todo el sufrimiento

leer la Biblia, usted verá que hubo siervos fieles de Dios que hicieron preguntas parecidas. Por ejemplo, el profeta Habacuc le dijo a Jehová: "¿Por qué me obligas a ver tanta violencia e injusticia? Por todas partes veo sólo pleitos y peleas; por todas partes veo sólo violencia y destrucción" (Habacuc 1:3, *Traducción en lenguaje actual*).

⁴ ¿Regañó Jehová al fiel profeta Habacuc por plantear esa cuestión? No, no lo regañó. En vez de eso, incluyó sus sinceras palabras en las Escrituras inspiradas. Además, lo ayudó a entender mejor el asunto y a aumentar su fe. Jehová desea hacer lo mismo por usted. Recuerde que la Biblia enseña que "él se interesa" por nosotros (1 Pedro 5:7). Dios odia mucho más que cualquier ser humano la maldad y el sufrimiento que esta causa (Isaías 55:8, 9). Entonces, ¿por qué hay tanto sufrimiento en el mundo?

¿POR QUÉ HAY TANTO SUFRIMIENTO?

⁵ Mucha gente de distintas religiones ha preguntado a sus líderes y maestros religiosos por qué sufrimos tanto. La respuesta que suelen darles es que esa es la voluntad de Dios

5. ¿Qué razones suelen darse para explicar por qué sufrimos, pero qué enseña la Biblia?

y que él ya determinó hace mucho tiempo todo lo que iba a suceder, hasta las desgracias. A muchas personas les han dicho que los caminos de Dios son misteriosos o que Dios se lleva a la gente, incluso a los niños, para que estén con él en el cielo. Sin embargo, como usted ha aprendido, Jehová nunca causa nada malo. La Biblia dice: "¡Lejos sea del Dios verdadero el obrar inicuamente [o con maldad], y del Todopoderoso el obrar injustamente!" (Job 34:10).

⁶ ¿Sabe por qué las personas cometen el error de culpar a Dios de todos los sufrimientos? En muchos casos, porque creen que el Dios todopoderoso es el gobernante de este mundo. No conocen una sencilla pero importante verdad que enseña la Biblia y que usted ya aprendió en el capítulo 3 de este libro. Nos referimos a que el verdadero gobernante de este mundo es Satanás.

⁷ La Biblia dice claramente que "el mundo entero yace en el poder del inicuo", el Diablo (1 Juan 5:19). ¿Verdad que eso lo explica todo? El mundo refleja la personalidad del espíritu invisible que "está extraviando [o engañando] a toda la tierra habitada" (Revelación [Apocalipsis] 12:9). Satanás actúa con engaño, odio y crueldad. Por eso el mundo, que se encuentra bajo su control, está lleno de engaño, odio y crueldad. Esa es la primera razón por la que hay tanto sufrimiento.

⁸ La segunda razón es que, como vimos en el capítulo 3, desde que el hombre se rebeló en el jardín de Edén, es imperfecto y pecador. Por lo tanto, le atrae el poder y lucha por obtenerlo, lo que ha traído guerras, opresión y sufrimiento (Eclesiastés 4:1; 8:9). La tercera razón por la que sufrimos es lo que la Biblia llama "el tiempo y el suceso imprevisto" (Eclesiastés 9:11). Como este mundo no está gobernado por

---

6. ¿Por qué culpan muchas personas a Dios de todos los sufrimientos del mundo?
7, 8. a) ¿Cómo refleja el mundo la personalidad de su gobernante? b) ¿Por qué han ocasionado sufrimiento la imperfección humana y "el tiempo y el suceso imprevisto"?

Jehová, no cuenta con su protección. Así que la gente puede sufrir daño por encontrarse en cierto lugar en un mal momento.

⁹ Es un consuelo saber que Dios no causa el sufrimiento. Él no es el culpable de las guerras, los crímenes, la opresión ni las catástrofes naturales que tanto dolor nos producen. Pero aún tenemos que contestar la pregunta de por qué permite todo ese sufrimiento. Si es todopoderoso, está claro que tiene el poder para ponerle fin. Entonces, ¿por qué no lo hace? Como hemos llegado a conocer a Jehová y hemos visto que es un Dios amoroso, estamos seguros de que debe tener una buena razón (1 Juan 4:8).

SURGE UNA IMPORTANTE CUESTIÓN

¹⁰ Para averiguar por qué permite Dios el sufrimiento, debemos retroceder al momento en que comenzaron todos los problemas. Cuando Satanás consiguió que Adán y Eva desobedecieran a Jehová, surgió una importante cuestión. Satanás no puso en duda el *poder* de Jehová, pues sabía que no tiene límites. Más bien, puso en duda Su *derecho a gobernar*. Al afirmar que Dios es un mentiroso y que impide que sus súbditos disfruten de cosas buenas, el Diablo lo estaba acusando de ser un mal gobernante (Génesis 3:2-5). Además, estaba dando a entender que a los seres humanos les iría mejor si no los gobernaba Dios. De esta manera lanzó un ataque contra la *soberanía* de Jehová, es decir, su derecho a gobernar.

¹¹ Cuando Adán y Eva se rebelaron contra Jehová, fue como si dijeran: "No necesitamos que Dios nos gobierne. Podemos decidir por nosotros mismos lo que está bien y lo que está mal". ¿Cómo resolvería Jehová la cuestión? ¿Cómo

9. ¿Por qué podemos estar seguros de que Jehová tiene una buena razón para permitir el sufrimiento?
10. ¿Qué puso en duda Satanás, y cómo lo hizo?
11. ¿Por qué no destruyó Jehová a los rebeldes en el jardín de Edén?

¿Está el alumno más capacitado que el maestro para dar la clase?

demostraría a todas las criaturas inteligentes que los rebeldes no tenían razón y que la forma en que él hace las cosas es la mejor? Hay quien piensa que Dios debería haber destruido a los rebeldes y haber creado una nueva pareja humana. Pero él ya había declarado que su propósito era que la Tierra fuera un paraíso y se llenara con los descendientes de Adán y Eva (Génesis 1:28). Y Jehová *siempre* cumple todo lo que se propone (Isaías 55:10, 11). Además, si hubiera eliminado a los rebeldes en el jardín de Edén, no se habría resuelto la cuestión relacionada con Su derecho a gobernar.

¹² Pongamos una comparación. Un maestro está explicando a sus alumnos cómo resolver un difícil problema de matemáticas. De repente, un alumno inteligente pero rebelde afirma que la forma en que lo está resolviendo es incorrecta, y así da a entender que es un mal maestro. El muchacho insiste en que él conoce una forma mucho mejor de resolverlo. Algunos de sus compañeros de clase creen que tiene razón y se rebelan también. ¿Qué debería hacer el maes-

---

12, 13. ¿Qué comparación muestra por qué Jehová ha permitido que Satanás gobierne el mundo y que los seres humanos se gobiernen a sí mismos?

tro? Podría echar de la clase a los estudiantes rebeldes, pero ¿cómo reaccionarían los demás? Tal vez pensarían que su compañero y los que se unieron a él tienen razón. Podrían perderle el respeto al maestro y pensar que tiene miedo de que se pruebe que está equivocado. Pero ahora suponga que el profesor permite que el estudiante rebelde demuestre a la clase cómo resolvería *él* el problema.

¹³ Jehová ha hecho algo parecido. Recuerde que quienes se rebelaron en el jardín de Edén no eran los únicos implicados en la cuestión. Millones de ángeles observaron lo que ocurrió (Job 38:7; Daniel 7:10). La forma en que Jehová respondiera a la rebelión tendría importantes consecuencias para aquellos ángeles y, con el tiempo, para todas las demás criaturas inteligentes. Así pues, ¿qué ha hecho Jehová? Ha permitido que Satanás demuestre cómo gobernaría él a la humanidad. Y también ha permitido que los seres humanos se gobiernen a sí mismos bajo la dirección de Satanás.

¹⁴ El maestro del que hablábamos sabe que el joven rebelde y los alumnos que lo apoyan no tienen razón. Pero también sabe que si deja que intenten resolver el problema a su manera, toda la clase se beneficiará. Así es, cuando se demuestre que los rebeldes están equivocados, los alumnos que sean sinceros reconocerán que el maestro es el único capacitado para dar la clase. Además, entenderán por qué a continuación este expulsa de la clase a los estudiantes rebeldes. Del mismo modo, Jehová sabe que todos los ángeles y humanos sinceros se beneficiarán cuando vean que Satanás y los demás ángeles rebeldes no tienen razón y que la humanidad no puede gobernarse a sí misma. Aprenderán esta gran verdad que expresó el profeta Jeremías: "Bien sé yo, oh Jehová, que al hombre terrestre no le pertenece su camino. No pertenece al hombre que está andando siquiera dirigir su paso" (Jeremías 10:23).

14. ¿Cuáles serán los beneficios de que Jehová haya decidido permitir que la humanidad se gobierne a sí misma?

¿POR QUÉ TANTO TIEMPO?

¹⁵ Pero ¿por qué ha permitido Jehová que el sufrimiento dure tanto tiempo? ¿Y por qué no evita que sucedan cosas malas? Pues bien, pensemos en dos cosas que el maestro antes mencionado *no haría*. Por un lado, no impediría que el alumno rebelde demostrara cuál es su solución, y por otro lado, no lo ayudaría a resolver el problema. De igual modo, hay dos cosas que Jehová ha decidido *no hacer*. En primer lugar, no ha impedido que el Diablo y los que están de su parte intenten demostrar que tienen razón. Para ello ha sido necesario dejar pasar el tiempo. En sus miles de años de historia, la humanidad ha probado todo tipo de gobierno y ha hecho avances en la ciencia y en otros campos. No obstante, las injusticias, la pobreza, los delitos y las guerras no han dejado de aumentar. Está más que demostrado que la gobernación humana es un fracaso.

¹⁶ En segundo lugar, Jehová no ha ayudado a Satanás a gobernar este mundo. Si Dios evitara que ocurrieran crímenes horribles y otras desgracias, ¿no cree que en realidad estaría apoyando a los rebeldes? ¿Verdad que podríamos pensar que los seres humanos *sí* podemos gobernarnos sin que se produzcan resultados desastrosos? Si Jehová actuara de esa forma, sería cómplice de una mentira. Sin embargo, "es imposible que Dios mienta" (Hebreos 6:18).

¹⁷ Pero ¿qué puede decirse de todo el daño que ha causado la larga rebelión contra Dios? Recordemos que Jehová es todopoderoso. Por lo tanto, puede reparar todo ese daño y, además, va a hacerlo. Como hemos aprendido, nuestro planeta se recuperará del maltrato que ha recibido y se convertirá en un paraíso. Gracias a la fe en el sacrificio de Jesús,

---

15, 16. a) ¿Por qué ha permitido Jehová que el sufrimiento dure tanto tiempo? b) ¿Por qué no ha evitado Dios que se produzcan crímenes horribles y otras desgracias?
17, 18. ¿Qué va a hacer Jehová con todo el daño que han producido los gobiernos humanos y la influencia de Satanás?

los seres humanos serán liberados de las consecuencias del pecado. Y en el caso de los difuntos, la resurrección reparará el daño causado por la muerte. De esa forma, Dios utilizará a Jesús "para desbaratar las obras del Diablo" (1 Juan 3:8). Jehová hará todo esto en el momento que él considere mejor. Podemos alegrarnos de que no haya actuado antes, pues gracias a su paciencia se nos ha ofrecido la oportunidad de aprender la verdad y servirle (2 Pedro 3:9, 10). Mientras tanto, Dios está buscando a las personas que desean sinceramente adorarlo y las ayuda a aguantar los sufrimientos en este mundo lleno de problemas (Juan 4:23; 1 Corintios 10:13).

¹⁸ Algunos tal vez piensen que todo este sufrimiento se habría evitado si Dios hubiera creado a Adán y Eva de tal modo que fueran *incapaces* de rebelarse. Para saber por qué no lo hizo, recuerde un valioso regalo que Jehová nos ha hecho.

¿CÓMO UTILIZARÁ USTED EL REGALO DE DIOS?

¹⁹ Como vimos en el capítulo 5, los seres humanos fuimos creados con libre albedrío, es decir, con la capacidad de tomar nuestras propias decisiones. ¿Se da cuenta de lo valioso que es ese regalo? Dios creó también muchísimos animales, pero todos ellos se guían principalmente por el instinto (Proverbios 30:24). Y el hombre ha fabricado robots que están programados para obedecer órdenes. ¿Seríamos nosotros felices si Dios nos hubiera hecho de esa forma? Claro que no. Por eso nos alegra tener la libertad de decidir, por ejemplo, qué clase de

19. ¿Qué valioso regalo nos ha dado Jehová, y por qué debemos valorarlo?

Dios le ayudará a aguantar los sufrimientos

personas seremos, qué vida llevaremos y qué amistades haremos. A nosotros nos encanta tener esa libertad, y Dios quiere que la tengamos.

²⁰ Jehová no desea que le sirvamos por obligación (2 Corintios 9:7). ¿Qué prefiere cualquier padre o madre: que su hijo le diga "Te quiero mucho" porque lo han obligado a hacerlo, o porque le sale del corazón? Entonces, la pregunta que usted debe hacerse es: "¿Cómo utilizaré *yo* el libre albedrío que Jehová me ha dado?". Satanás, Adán y Eva lo utilizaron de la peor manera posible, pues rechazaron a Jehová Dios. ¿Y usted? ¿Qué hará?

²¹ Usted tiene la posibilidad de utilizar ese maravilloso regalo, el libre albedrío, de la mejor forma. Puede unirse a los millones de seres humanos que se han puesto del lado de Jehová. Estas personas le causan gran alegría a Dios porque demuestran que Satanás es un mentiroso y un malísimo gobernante (Proverbios 27:11). Usted puede hacer lo mismo si escoge el mejor modo de vida. En el siguiente capítulo se explicará cuál es este.

———

20, 21. ¿Cómo podemos usar el regalo del libre albedrío de la mejor forma, y por qué debería ser ese nuestro deseo?

LO QUE LA BIBLIA ENSEÑA

- Dios no es el causante de las cosas malas que suceden (Job 34:10).

- Al afirmar que Jehová es un mentiroso y que impide que sus súbditos disfruten de cosas buenas, Satanás puso en duda que Dios tenga derecho a gobernar (Génesis 3:2-5).

- Jehová utilizará a su Hijo, el Gobernante del Reino mesiánico, para eliminar el sufrimiento y para reparar el daño que ha causado la rebelión (1 Juan 3:8).

CAPÍTULO 12

El modo de vida que le agrada a Dios

¿Cómo puede usted hacerse amigo de Dios?

¿Qué tiene que ver con usted el desafío de Satanás?

¿Qué conductas desagradan a Dios?

¿Cómo puede llevar una vida que le agrade a Dios?

¿A QUÉ clase de persona elegiría como amigo? Probablemente buscaría la compañía de alguien con las mismas opiniones, intereses y principios morales que usted. Y seguro que preferiría a alguien con buenas cualidades; por ejemplo, que fuera honrado y amable.

² A lo largo de la historia, Dios ha elegido a algunos seres humanos para que sean sus amigos íntimos. Por ejemplo, a Abrahán lo llamó amigo suyo (Isaías 41:8; Santiago 2:23). De David dijo que era un "varón agradable a [su] corazón", porque era la clase de persona a la que él ama (Hechos 13:22). Y al profeta Daniel lo consideró "alguien muy deseable" (Daniel 9:23).

³ ¿Por qué consideró Jehová a Abrahán, David y Daniel amigos suyos? Pues bien, a Abrahán le dijo: "Has escuchado mi voz" (Génesis 22:18). De modo que Jehová se acerca a quienes hacen con humildad lo que él les pide. "Obedezcan mi

---

1, 2. Dé ejemplos de seres humanos a los que Jehová consideró sus amigos íntimos.
3. ¿Por qué escoge Jehová a ciertos seres humanos para que sean sus amigos?

voz —les dijo a los israelitas—, y ciertamente llegaré a ser su Dios, y ustedes mismos llegarán a ser mi pueblo." (Jeremías 7:23.) Si obedece a Jehová, también usted puede ser su amigo.

JEHOVÁ FORTALECE A SUS AMIGOS

[4] Piense en lo que significa tener la amistad de Dios. La Biblia dice que Jehová busca oportunidades de "mostrar su fuerza a favor de aquellos cuyo corazón es completo para con él" (2 Crónicas 16:9). ¿Cómo puede Dios mostrar su fuerza a favor de usted? Salmo 32:8 indica una forma: "[Yo, Jehová,] te haré tener perspicacia, y te instruiré en el camino en que debes ir. Ciertamente daré consejo con mi ojo sobre ti".

[5] ¡De qué forma tan conmovedora le expresa Jehová cómo cuidará de usted! Él le dará los consejos que usted necesite y, si los pone en práctica, velará por su bienestar. Dios *desea* ayudarle a superar las pruebas y dificultades que se le presenten (Salmo 55:22). De modo que si le sirve con todo su corazón, puede sentirse tan seguro como el salmista, que dijo: "He puesto a Jehová enfrente de mí constantemente. Porque él está a mi diestra, no se me hará tambalear" (Salmo 16:8; 63:8). Así es, Jehová puede ayudarle a llevar una vida que le agrade a él. Pero, como ya sabe, hay un enemigo de Dios que quiere impedirle que lo haga.

EL DESAFÍO DE SATANÁS

[6] Como se explicó en el capítulo 11, Satanás desafió la soberanía de Dios. Acusó a Jehová de mentir y dio a entender que era un gobernante injusto, pues no permitía que Adán y Eva decidieran por sí mismos lo que estaba bien o mal. Después de que nuestros primeros padres pecaron, la Tierra empezó a llenarse de sus descendientes. Entonces Satanás puso en duda los motivos que tenían todos los seres humanos para adorar a Jehová. Fue como si dijera: "La gente no sirve a

4, 5. ¿Cómo muestra Jehová su fuerza a favor de su pueblo?
6. ¿Qué dijo Satanás sobre los seres humanos?

Dios por amor. Si se me da la oportunidad, puedo hacer que *cualquier persona* se ponga en contra de Dios". El relato de Job demuestra que eso era lo que creía el Diablo. Pero ¿quién fue Job, y qué tuvo que ver con el desafío de Satanás?

⁷ Job vivió hace unos tres mil seiscientos años. Era un hombre tan bueno que Jehová dijo: "No hay ninguno como él en la tierra, un hombre sin culpa y recto, temeroso de Dios y apartado del mal" (Job 1:8). En efecto, Jehová miraba con favor a Job.

⁸ El Diablo puso en duda los motivos por los que Job servía a Dios. Le dijo a Jehová: "¿No has puesto tú mismo un seto protector alrededor de [Job] y alrededor de su casa y alrededor de todo lo que tiene [...]? La obra de sus manos has bendecido, y su ganado mismo se ha extendido en la tierra. Pero, para variar, sírvete alargar la mano, y toca todo lo que tiene, y ve si no te maldice en tu misma cara" (Job 1:10, 11).

⁹ Satanás afirmó que Job servía a Dios solo por lo que obtenía a cambio. También afirmó que si se ponía a prueba a Job, este se volvería contra Dios. ¿Cómo respondió Jehová al desafío del Diablo? Puesto que la cuestión tenía que ver con los motivos de Job, Jehová permitió que Satanás lo pusiera a prueba. De esta forma quedaría claro si Job amaba a Dios o no.

SE PONE A PRUEBA A JOB

¹⁰ Satanás sometió enseguida a Job a diversas pruebas. Hizo que le robaran parte del ganado y el resto muriera y que casi todos sus siervos fueran asesinados. Todo esto le causó graves problemas económicos. Después, el Diablo lo golpeó con otra tragedia, pues sus diez hijos perdieron la vida en una tormenta. Pero, a pesar de esas desgracias, "Job no pecó, ni atribuyó nada impropio a Dios" (Job 1:22).

───────

7, 8. a) ¿Por qué se destacó Job entre la gente de su tiempo? b) ¿Cómo puso en duda el Diablo los motivos de Job?
9. ¿Cómo respondió Jehová al desafío de Satanás, y por qué?
10. ¿Qué pruebas afrontó Job, y cómo reaccionó?

Job fue recompensado
por su lealtad

¹¹ Satanás no se dio por vencido. Seguramente pensó que, aunque Job podía soportar la pérdida de todo lo que poseía y de sus siervos e hijos, se volvería contra Dios si se enfermaba. Por lo tanto, Jehová permitió que el Diablo le provocara una enfermedad repugnante y dolorosa. Pero ni aun así Job perdió la fe en Dios. Al contrario, dijo enérgicamente: "¡Hasta la muerte mantendré mi integridad!" (Job 27:5, *Santa Biblia,* Reina-Valera, 1995).

¹² Job no sabía que era Satanás quien había provocado sus desgracias. Como no conocía los detalles del desafío del Diablo a la soberanía de Jehová, temía que Dios fuera el causante de sus problemas (Job 6:4; 16:11-14). Aun así, se mantuvo íntegro, o leal, a los ojos de Jehová. Y no solo eso: con su conducta fiel, Job demostró que era falsa la acusación de Satanás de que servía a Dios por motivos egoístas.

¹³ La lealtad de Job le permitió a Jehová dar una firme respuesta al desafío insultante de Satanás. Job era de verdad amigo de Jehová, y él lo recompensó por su lealtad (Job 42: 12-17).

¿QUÉ TIENE QUE VER CON USTED EL DESAFÍO DE SATANÁS?

¹⁴ La cuestión de la lealtad a Dios que planteó Satanás no tenía que ver solo con Job. También tiene que ver con cada uno de nosotros. La Palabra de Dios lo muestra claramente en Proverbios 27:11, donde dice: "Sé sabio, hijo mío, y regocija mi corazón, para que pueda responder al que me está desafiando con escarnio". Estas palabras, escritas siglos después de la muerte de Job, indican que Satanás

11. a) ¿Qué más quiso demostrar Satanás en el caso de Job, y cómo respondió Jehová? b) ¿Cómo reaccionó Job ante su dolorosa enfermedad?
12. ¿Qué respuesta dio Job al desafío del Diablo?
13. ¿Qué resultado tuvo la lealtad de Job a Dios?
14, 15. ¿Por qué decimos que el desafío de Satanás tiene que ver con *todos* los seres humanos, y no solo con Job?

seguía desafiando a Dios y acusando a Sus siervos. Cuando vivimos de una manera que le agrada a Jehová, ayudamos a responder las acusaciones falsas de Satanás y así le alegramos el corazón a Dios. ¿Qué piensa usted de eso? Aunque tenga que hacer cambios en su vida, ¿verdad que sería maravilloso que pudiera contribuir a dar respuesta a las mentiras del Diablo?

[15] Fíjese en que Satanás aseguró: "Todo lo que *el hombre* tiene lo dará en el interés de su alma" (Job 2:4). Al decir "el hombre", Satanás dejó claro que no solo estaba acusando a Job, sino a *todos* los seres humanos. Este detalle es muy importante. El Diablo ha puesto en duda la lealtad que *usted* le tiene a Dios. A él le gustaría que, cuando a usted le surjan dificultades, desobedezca a Dios y deje de actuar como debe. ¿Qué métodos pudiera utilizar Satanás para conseguir su propósito?

[16] Como vimos en el capítulo 10, Satanás utiliza varios métodos para apartar a la gente de Dios. Por un lado, ataca "como león rugiente, procurando devorar a alguien" (1 Pedro 5:8). De modo que usted notará su influencia si sus amigos, sus familiares u otras personas se oponen a que estudie la Biblia o ponga en práctica lo que aprende (Juan 15:19, 20).* Por otro lado, Satanás siempre está "transformándose en ángel de luz" (2 Corintios 11:14). Así pues, el Diablo puede utilizar métodos astutos para engañarlo y evitar que lleve una vida que le agrade a Dios. Uno de esos métodos es el desánimo. Tal vez haga que usted piense que nunca logrará agradar a Dios (Proverbios 24:10). Pero sea que Satanás actúe como un "león

---

* Eso no significa que las personas que se opongan a usted estén controladas directamente por Satanás. Pero él es el dios de este sistema de cosas, y el mundo entero está en su poder (2 Corintios 4:4; 1 Juan 5:19). De modo que podemos esperar que el modo de vida que le agrada a Dios no sea popular y que haya quienes se opongan a usted.

---

16. a) ¿Qué métodos utiliza Satanás para apartar a la gente de Dios? b) ¿Cómo podría usar el Diablo esos métodos en el caso de usted?

rugiente" o como un "ángel de luz", su desafío es el mismo: él asegura que cuando usted se enfrente a problemas o tentaciones, dejará de servir a Dios. ¿Cómo puede responder a su desafío y demostrar que es leal a Dios, como hizo Job?

OBEDEZCAMOS LOS MANDAMIENTOS DE JEHOVÁ

¹⁷ Usted puede responder al desafío de Satanás llevando una vida que le agrada a Dios. ¿Qué implica eso? La Biblia contesta: "Tienes que amar a Jehová tu Dios con todo tu corazón y con toda tu alma y con toda tu fuerza vital" (Deuteronomio 6:5). Cuanto más ame a Dios, más deseará hacer lo que él le pide. El apóstol Juan escribió: "Esto es lo que el amor de Dios significa: que observemos sus mandamientos". Si ama a Jehová con todo su corazón, verá que "sus mandamientos no son gravosos", es decir, no son una carga (1 Juan 5:3).

¹⁸ ¿Cuáles son los mandamientos de Jehová? Algunos tienen que ver con comportamientos que debemos evitar. Por ejemplo, fíjese en el recuadro de la página 122, titulado "Evitemos lo que Jehová odia". Contiene una lista de conductas que la Biblia condena de forma clara. A primera vista, algunas quizás no le parezcan tan malas. Pero después de meditar en los textos bíblicos, probablemente verá lo sabias que son las leyes divinas. Puede que tenga que hacer cambios en su vida y que eso sea una de las cosas más difíciles a las que jamás se haya enfrentado. Sin embargo, quienes llevan una vida que le agrada a Dios sienten una gran satisfacción y felicidad (Isaías 48:17, 18). Y eso es algo que usted puede lograr. ¿Cómo lo sabemos?

¹⁹ Porque Jehová nunca nos pide más de lo que podemos hacer (Deuteronomio 30:11-14). Él conoce nuestro potencial

---

17. ¿Cuál es la principal razón por la que obedecemos los mandamientos de Jehová?
18, 19. a) Mencione algunos mandamientos de Jehová (vea el recuadro de la pág. 122). b) ¿Cómo sabemos que Dios no nos pide demasiado?

y nuestras limitaciones mejor que nosotros mismos (Salmo 103:14). Además, puede darnos las fuerzas que necesitamos para obedecerle. El apóstol Pablo escribió: "Dios es fiel, y no dejará que sean tentados más allá de lo que pueden soportar, sino que junto con la tentación también dispondrá la salida para que puedan aguantarla" (1 Corintios 10:13). A fin de ayudarnos a aguantar, Jehová puede incluso darnos "poder que es más allá de lo normal" (2 Corintios 4:7). Así fue en el caso de Pablo, quien, después de soportar muchas pruebas, dijo: "Para todas las cosas tengo la fuerza en virtud de aquel que me imparte poder" (Filipenses 4:13).

EVITEMOS LO QUE JEHOVÁ ODIA

El homicidio
(Éxodo 20:13; 21:22, 23).

La inmoralidad sexual
(Levítico 20:10, 13, 15, 16; Romanos 1:24, 26, 27, 32; 1 Corintios 6:9, 10).

El espiritismo (Deuteronomio 18:9-13; 1 Corintios 10:21, 22; Gálatas 5:20, 21).

La idolatría (1 Corintios 10:14).

La borrachera (1 Corintios 5:11).

El robo
(Levítico 6:2, 4; Efesios 4:28).

La mentira (Proverbios 6: 16, 19; Colosenses 3:9; Revelación [Apocalipsis] 22:15).

La avidez o codicia
(1 Corintios 5:11).

La violencia (Salmo 11:5; Proverbios 22:24, 25; Malaquías 2:16; Gálatas 5:20).

El mal uso de la lengua
(Levítico 19:16; Efesios 5:4; Colosenses 3:8).

El mal uso de la sangre
(Génesis 9:4; Hechos 15:20, 28, 29).

La negativa a mantener a la familia (1 Timoteo 5:8).

La participación en las guerras o las disputas políticas de este mundo
(Isaías 2:4; Juan 6:15; 17:16).

El consumo de tabaco o drogas (Marcos 15:23; 2 Corintios 7:1).

ADQUIRAMOS LAS CUALIDADES
QUE LE AGRADAN A DIOS

²⁰ Por supuesto, para agradar a Jehová no basta con evitar lo que él odia. También hay que amar lo que él ama (Romanos 12:9). ¿No se siente usted a gusto con las personas que tienen las mismas opiniones, intereses y principios morales que usted? Pues Jehová también. Así que aprenda a amar las cosas que él ama. En Salmo 15:1-5, donde se indica a quiénes considera Dios sus amigos, se mencionan algunas

---

20. ¿Qué cualidades que le agradan a Dios debería adquirir usted, y por qué son importantes?

de tales cosas. Los amigos de Jehová producen lo que la Biblia llama "el fruto del espíritu", que abarca las siguientes cualidades: "amor, gozo, paz, gran paciencia, benignidad, bondad, fe, apacibilidad [y] autodominio" (Gálatas 5:22, 23).

21 Algo que le ayudará a desarrollar las cualidades que le gustan a Dios será leer y estudiar regularmente las Escrituras. Además, al ir aprendiendo lo que Jehová espera de usted, llegará a tener su misma forma de pensar (Isaías 30:20, 21). Cuanto más ame a Jehová, más deseará que su modo de vida le agrade a él.

22 Se necesita esfuerzo para llevar una vida que le agrade a Jehová. La Biblia dice que cuando uno efectúa cambios profundos en su vida, es como si se desnudara de la vieja personalidad y se vistiera de una nueva (Colosenses 3:9, 10). Sin embargo, el salmista dijo sobre las normas divinas: "En guardarlas hay un galardón grande" (Salmo 19:11). Si usted lleva una vida que le agrade a Dios, también recibirá muchas recompensas. Además, responderá al desafío de Satanás y alegrará el corazón de Jehová.

---

21. ¿Qué le ayudará a desarrollar las cualidades que le gustan a Dios?
22. ¿Qué logrará si lleva una vida que le agrade a Dios?

LO QUE LA BIBLIA ENSEÑA

- Si obedece a Dios, usted puede ser su amigo (Santiago 2:23).

- Satanás ha puesto en duda la lealtad de todos los seres humanos (Job 1:8, 10, 11; 2:4; Proverbios 27:11).

- Debemos evitar las conductas que desagradan a Dios (1 Corintios 6:9, 10).

- Para complacer a Jehová tenemos que odiar lo que él odia y amar lo que él ama (Romanos 12:9).

CAPÍTULO 13

Vea la vida como la ve Dios

¿Cómo ve Dios la vida?
¿Qué piensa él del aborto?
¿Cómo mostramos nosotros
que respetamos la vida?

"JEHOVÁ es en verdad Dios —afirmó el profeta Jeremías—. Él es el Dios vivo." (Jeremías 10:10.) Además, es el Creador de todos los seres vivos. Así lo reconocieron en el cielo algunas de sus criaturas al decir: "Tú creaste todas las cosas, y a causa de tu voluntad existieron y fueron creadas" (Revelación [Apocalipsis] 4:11). Y en una canción de alabanza a Jehová, el rey David indicó: "Contigo está la fuente de la vida" (Salmo 36:9). Por lo tanto, la vida es un regalo de Dios.

² Además, Jehová hace posible que continuemos con vida (Hechos 17:28). Él nos da los alimentos que comemos, el agua que bebemos, el aire que respiramos y la tierra donde vivimos (Hechos 14:15-17). Y lo hace de forma que la vida resulte agradable. Sin embargo, para disfrutar de la vida al máximo, tenemos que conocer las leyes de Dios y obedecerlas (Isaías 48:17, 18).

RESPETEMOS LA VIDA

³ Dios desea que respetemos la vida, tanto la nuestra como la ajena. Veamos un ejemplo. Caín, el hijo de Adán y Eva, se enfureció con Abel, su hermano menor. Jehová le

1. ¿Quién creó todos los seres vivos?
2. ¿Qué hace Dios para que continuemos con vida?
3. ¿Qué pensó Dios del asesinato de Abel?

MOSTRAMOS RESPETO POR LA VIDA

- no quitándoles la vida a las criaturas no nacidas

- dejando hábitos que son inmundos a los ojos de Dios

- eliminando de nuestro corazón el odio a otras personas

advirtió que su cólera podía llevarlo a cometer un pecado grave, pero Caín no le hizo caso. 'Atacó a su hermano y lo mató.' (Génesis 4:3-8.) El relato pasa a mostrar que Jehová lo castigó por ese asesinato (Génesis 4:9-11).

⁴ Miles de años después, Jehová dio leyes a los israelitas para que le sirvieran como él deseaba. En vista de que las entregó mediante el profeta Moisés, el conjunto de esas leyes suele recibir el nombre de Ley mosaica. Pues bien, la Ley mosaica contenía este mandato: "No debes asesinar" (Deuteronomio 5:17). Esta prohibición mostró a los israelitas que Dios valora la vida humana y que toda persona debe valorar la vida de sus semejantes.

⁵ ¿Y qué piensa Dios de los bebés que aún están en el vientre de su madre? La Ley mosaica indicó que no se debía causar la muerte de una criatura que todavía no había nacido. Así es: también esa vida tiene mucho valor para Jehová (Éxodo 21:22, 23; Salmo 127:3). Eso significa que está mal abortar.

⁶ Para respetar la vida, también debemos tener una buena actitud hacia el prójimo. La Biblia dice: "Todo el que odia a su hermano es homicida, y ustedes saben que ningún homicida tiene la vida eterna como cosa permanente en él" (1 Juan 3:15). Si queremos vivir para siempre, tenemos que eliminar de nuestro corazón el odio que podamos sentir por otras personas, porque el odio es la raíz de casi todos los actos violentos (1 Juan 3:11, 12). Es fundamental que aprendamos a amarnos unos a otros.

⁷ ¿Y qué puede decirse sobre el respeto a nuestra propia vida? Por lo general, nadie quiere morir, pero muchas personas ponen su vida en peligro por puro placer. Por

4. ¿Cómo mostró Dios en la Ley mosaica la manera en que debemos ver la vida?
5. ¿Cómo debemos ver el aborto?
6. ¿Por qué no debemos odiar a otras personas?
7. ¿Qué vicios demuestran falta de respeto por la vida?

ejemplo, consumen tabaco, mastican hojas de coca o nuez de areca (o de betel) o toman drogas sin razones médicas. Estas sustancias perjudican la salud y en muchos casos provocan la muerte. Por consiguiente, la persona que tiene esos vicios no considera sagrada la vida. A los ojos de Dios, son hábitos inmundos, o sucios (Romanos 6:19; 12:1; 2 Corintios 7:1). Para servirle como él desea, tenemos que dejarlos. Quizás se nos haga muy difícil, pero Jehová puede darnos la ayuda necesaria. Él valora mucho todos los esfuerzos que hacemos para tratar nuestra vida como lo que es: un regalo muy valioso de parte suya.

[8] Si respetamos la vida, nos preocuparemos siempre por la seguridad. No seremos descuidados ni correremos riesgos por placer o emoción. No conduciremos el automóvil de forma imprudente ni practicaremos deportes violentos o peligrosos (Salmo 11:5). Una de las leyes que Jehová dio al antiguo Israel decía: "En caso de que edifiques una casa nueva, entonces tienes que hacer un pretil [o pequeño muro] a tu techo [o azotea], para que no coloques sobre tu casa culpa de sangre porque alguien [...] llegara a caer de él" (Deuteronomio 22:8). Esa ley contiene un principio por el que usted debe guiarse. Por ejemplo, si su casa tiene escaleras, manténgalas en buen estado para que nadie se caiga y sufra heridas graves. Si tiene automóvil, asegúrese de que esté en buenas condiciones. No permita que su vivienda o su vehículo sean un peligro para usted o para los demás.

[9] ¿Cómo ve el Creador la vida de los animales? También la considera sagrada. Él permite matar animales para obtener alimento y ropa o para proteger la vida humana (Génesis 3:21; 9:3; Éxodo 21:28). Pero quien los trata con crueldad o los mata por deporte está obrando mal y demuestra que no considera sagrada la vida (Proverbios 12:10).

8. ¿Por qué debemos preocuparnos siempre por la seguridad?
9. Si respetamos la vida, ¿cómo trataremos a los animales?

RESPETEMOS LA SANGRE

[10] Cuando Caín mató a Abel, Jehová le dijo: "La sangre de tu hermano está clamando a mí desde el suelo" (Génesis 4:10). Al mencionar Dios la sangre de Abel, se refería a su vida. Caín le había quitado la vida a su hermano y tenía que ser castigado. Era como si la sangre, o la vida, de Abel clamara a Jehová por justicia. La relación entre la vida y la sangre volvió a mostrarse después del Diluvio de Noé. Antes del Diluvio, los seres humanos solo comían frutas, verduras, cereales y frutos secos. Pero después hubo un cambio. Jehová les dijo a Noé y sus hijos: "Todo animal moviente que está vivo puede servirles de alimento. Como en el caso de la vegetación verde, de veras lo doy todo a ustedes". Sin embargo, Dios añadió esta prohibición: "Solo carne con su alma [o vida] —su sangre— no deben comer" (Génesis 1:29; 9:3, 4). Está claro que, para Jehová, la vida y la sangre están muy relacionadas.

[11] Un modo de mostrar respeto por la sangre es no comiéndola. En la Ley que dio a los israelitas, Jehová mandó: "En cuanto a cualquier hombre [...] que al cazar prenda una bestia salvaje o un ave que pueda comerse, en tal caso tiene que derramar la sangre de esta y cubrirla con polvo. Porque [...] dije yo a los hijos de Israel: 'No deben comer la sangre de ninguna clase de carne [...]' " (Levítico 17:13, 14). La prohibición de comer sangre animal, que Dios ya había dado a Noé unos ochocientos años antes, aún era válida. Estaba claro lo que pensaba Jehová: sus siervos podían comer la carne de los animales, pero no la sangre. Tenían que derramarla en el suelo, lo cual era como devolver a Dios la vida del animal.

---

10. ¿Cómo demostró Dios que la vida y la sangre están muy relacionadas?

11. ¿Qué uso de la sangre ha prohibido Dios desde los tiempos de Noé?

¹² A los cristianos se nos ha dado un mandato parecido. En el siglo primero, los apóstoles y otros hombres que dirigían a los discípulos de Jesús se reunieron para decidir qué mandatos debían obedecer todos los cristianos. Esta fue la conclusión a la que llegaron: "Al espíritu santo y a nosotros mismos nos ha parecido bien no añadirles ninguna otra carga, salvo estas cosas necesarias: que sigan absteniéndose de cosas sacrificadas a ídolos, y de sangre, y de cosas estranguladas [animales no desangrados], y de fornicación" (Hechos 15:28, 29; 21:25). Así que debemos 'abstenernos de sangre'. A los ojos de Dios, esto es tan importante como evitar la idolatría y la inmoralidad sexual.

¹³ ¿Están incluidas las transfusiones en el mandato de abstenerse de sangre? Sí, lo están. Pongamos una comparación. Si el médico le dice que se abstenga del alcohol, ¿significa que no debe beberlo pero sí puede inyectárselo en las venas? Por supuesto que no. De la misma manera, abstenerse de sangre significa no introducirla en el cuerpo de ningún modo. Así que para obedecer ese mandato no debemos permitir que nos pongan una transfusión de sangre.

¹⁴ Pero ¿qué ocurre si un cristiano está gravemente herido o tiene que someterse a una operación seria? Supongamos que los médicos le dijeran que si no le ponen sangre, morirá. Lógicamente, el cristiano no quiere morir. Como desea conservar el valioso regalo divino de la vida, estaría dispuesto a recibir otros tratamientos médicos que no implicaran un mal uso de la sangre. Por eso, aceptaría alguna de las diversas alternativas a la sangre que estuvieran a su alcance.

¹⁵ ¿Violaría el cristiano la ley de Dios para alargar un

_____

12. ¿Cuál es el mandato sobre la sangre que se dio por espíritu santo en el siglo primero y que aún es válido hoy?
13. ¿Qué comparación muestra que las transfusiones están incluidas en el mandato de abstenerse de sangre?
14, 15. Si los médicos le dijeran a un cristiano que deben ponerle una transfusión de sangre, ¿qué haría y por qué?

poco su vida en este sistema de cosas? Jesús dijo: "El que quiera salvar su alma [o su vida], la perderá; pero el que pierda su alma por causa de mí, la hallará" (Mateo 16:25). Ninguno de nosotros desea morir. Sin embargo, si tratamos de salvar nuestra vida actual violando la ley de Dios, nos arriesgamos a perder la vida eterna. De modo que lo más sensato es confiar plenamente en que la ley divina es para nuestro bien. Podemos estar seguros de que si llegamos a morir, el Dador de la vida nos recordará en la resurrección y nos devolverá ese precioso don (Juan 5:28, 29; Hebreos 11:6).

¹⁶ Los siervos fieles de Dios están completamente decididos a obedecer el mandato divino sobre la sangre. Por eso, no la comen de ninguna forma ni la aceptan como tratamiento médico.* Están convencidos de que el Creador de la sangre sabe qué es lo más conveniente para ellos. ¿Lo cree usted también?

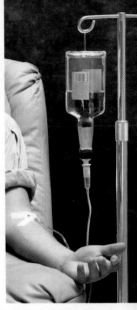

Si su médico le mandara abstenerse del alcohol, ¿se lo introduciría en las venas?

EL ÚNICO USO APROPIADO DE LA SANGRE

¹⁷ La Ley mosaica mostró con claridad cuál es el único uso apropiado de la sangre. Al dar a los israelitas las instrucciones para adorarlo, Jehová les dijo: "El alma [o la vida] de

---

* Si desea más información sobre las alternativas a las transfusiones de sangre, consulte las págs. 13-17 del folleto *¿Cómo puede salvarle la vida la sangre?*, editado por los testigos de Jehová.

---

16. ¿Cuál es la firme decisión de los siervos de Dios con relación a la sangre?
17. En el antiguo Israel, ¿qué único uso autorizaba Dios para la sangre?

la carne está en la sangre, y yo mismo la he puesto sobre el altar para ustedes para hacer expiación por sus almas, porque la sangre es lo que hace expiación" (Levítico 17:11). Cuando los israelitas pecaban, podían recibir el perdón si ofrecían un animal y se llevaba parte de su sangre al altar del tabernáculo o, posteriormente, al del templo de Dios. Solo debía utilizarse la sangre de esa manera.

[18] Los cristianos verdaderos no tienen que obedecer la Ley mosaica y, por lo tanto, no ofrecen sacrificios de animales ni llevan la sangre de estos a un altar (Hebreos 10:1). Sin embargo, ese uso que recibía la sangre en el antiguo Israel representaba el valioso sacrificio que iba a realizarse más adelante: el del Hijo de Dios, Jesucristo. Como aprendimos en el capítulo 5, Jesús entregó su vida humana por

---

18. ¿Qué beneficios y bendiciones podemos recibir gracias a que Jesús derramó su sangre?

¿Cómo podemos mostrar que respetamos la vida y la sangre?

nosotros al derramar su sangre en sacrificio. Después ascendió al cielo y ofreció a Dios una vez y para siempre el valor de la sangre que él había derramado (Hebreos 9: 11, 12). De ese modo hizo posible el perdón de nuestros pecados y nos abrió el camino a la vida eterna (Mateo 20:28; Juan 3:16). Sin duda, ese uso de la sangre fue importantísimo (1 Pedro 1:18, 19). Solo nos salvaremos si tenemos fe en el valor de la sangre derramada de Jesús.

[19] ¡Qué agradecidos estamos a nuestro amoroso Dios por el don de la vida! La gratitud debería impulsarnos a decirle a la gente que si tiene fe en el sacrificio de Jesús, podrá vivir para siempre. Y lo haremos con entusiasmo, porque, al igual que Jehová, consideramos que la vida de nuestros semejantes es muy valiosa (Ezequiel 3:17-21). Si cumplimos fielmente con esa responsabilidad, podremos decir, como el apóstol Pablo: "Estoy limpio de la sangre de todo hombre, porque no me he retraído de decirles todo el consejo de Dios" (Hechos 20:26, 27). En efecto, una de las mejores maneras de demostrar cuánto respetamos la vida y la sangre es hablando a nuestro prójimo acerca de Dios y sus propósitos.

---

19. ¿Qué debe hacer el cristiano para estar "limpio de la sangre de todo hombre"?

LO QUE LA BIBLIA ENSEÑA

- La vida es un regalo de Dios (Salmo 36:9; Revelación 4:11).

- Está mal abortar, pues la vida de la criatura no nacida tiene mucho valor para Dios (Éxodo 21:22, 23; Salmo 127:3).

- Mostramos respeto por la vida si no la ponemos en peligro y si no comemos sangre (Deuteronomio 5:17; Hechos 15:28, 29).

CAPÍTULO 14

Cómo tener
una vida familiar feliz

¿Qué hace falta para ser un buen esposo?

¿Cómo puede cumplir la esposa con su papel?

**¿Qué implica ser un buen padre
o una buena madre?**

**¿Cómo pueden ayudar los hijos
a que la familia sea feliz?**

JEHOVÁ DIOS desea que las familias sean felices. Por eso, en su Palabra, la Biblia, ofrece pautas a cada uno de sus miembros y explica lo que espera de ellos. Cuando se siguen sus consejos, se obtienen muy buenos resultados. Como dijo Jesús: "¡Felices son los que oyen la palabra de Dios y la guardan!" (Lucas 11:28).

² Para tener una vida familiar feliz, debemos reconocer que fue Jehová quien creó la familia. Jesús mismo dijo que Dios es nuestro "Padre" (Mateo 6:9). En efecto, todas las familias de la Tierra existen gracias a nuestro Padre celestial, y por eso él sabe lo que las hace felices (Efesios 3:14, 15). Pues bien, según la Biblia, ¿qué espera Dios de cada miembro de la familia?

EL ORIGEN DIVINO DE LA FAMILIA

³ Jehová creó a los dos primeros seres humanos, Adán y

---

1. ¿Cuál es el secreto de la felicidad familiar?
2. ¿Qué debemos reconocer para tener una vida familiar feliz?
3. ¿Qué dice la Biblia sobre el comienzo de la vida familiar, y cómo sabemos que eso es cierto?

Eva, y los unió en matrimonio. Les dio como hogar un hermoso paraíso terrestre —el jardín de Edén— y les mandó que tuvieran hijos. Les dijo: "Sean fructíferos y háganse muchos y llenen la tierra" (Génesis 1:26-28; 2:18, 21-24). Este relato no es un cuento ni una leyenda. Jesús mostró que la explicación que da el libro de Génesis sobre el comienzo de la vida familiar es cierta (Mateo 19:4, 5). Ahora tenemos muchos problemas y la vida no es como Dios quería al principio, pero aun así es posible que las familias sean felices. Veamos por qué.

⁴ Todos podemos poner de nuestra parte para que nuestra familia sea feliz. Para ello, debemos imitar a Dios y demostrarnos amor (Efesios 5:1, 2). Pero ¿cómo vamos a imitar a Dios, si ni siquiera lo vemos? Aunque es cierto que no lo vemos, podemos saber cómo actúa, ya que envió a su Hijo primogénito a la Tierra (Juan 1:14, 18). Este Hijo, Jesucristo, imitó tan bien a su Padre celestial que ver y escuchar a Jesús era lo mismo que estar con Jehová y escucharlo (Juan 14:9). Así que todos podemos contribuir a que nuestra vida familiar sea más feliz si nos fijamos en el amor que demostró Jesús y seguimos su ejemplo.

EL MODELO PARA LOS ESPOSOS

⁵ La Biblia dice que el hombre debe tratar a su mujer tal como Jesús trató a sus discípulos. Fíjese en este mandato bíblico: "Esposos, continúen amando a sus esposas, *tal como el Cristo también amó a la congregación y se entregó por ella* [...]. De esta manera los esposos deben estar amando a sus esposas como a sus propios cuerpos. El que ama a su esposa, a sí mismo se ama, porque nadie jamás ha odiado a su propia

4. a) ¿Cómo podemos poner todos de nuestra parte para que nuestra familia sea feliz? b) Para que las familias sean felices, ¿por qué es fundamental que estudien la vida de Jesús?
5, 6. a) ¿Qué ejemplo dio Jesús a los esposos por la forma en que trató a la congregación? b) ¿Qué debe hacerse para que Dios perdone los pecados?

carne; antes bien, la alimenta y la acaricia, *como también el Cristo hace con la congregación"* (Efesios 5:23, 25-29).

⁶ El amor que Jesús mostró a su congregación, es decir, a sus seguidores, es un ejemplo perfecto para los esposos. Aunque los discípulos eran imperfectos, Jesús "los amó hasta el fin", pues sacrificó su vida por ellos (Juan 13:1; 15:13). Por eso a los casados se les pide que *"sigan* amando a sus esposas y no se encolericen amargamente con ellas" (Colosenses 3:19). ¿Qué ayudará al esposo a poner en práctica este consejo, sobre todo si a veces su mujer no actúa con buen juicio? Recordar que él también comete errores y que para que Dios lo perdone debe hacer algo. ¿De qué se trata? Debe perdonar primero a los que pecan contra él, lo que incluye a su esposa. Por supuesto, ella tiene que hacer lo mismo (Mateo 6:12, 14, 15). Por esa razón se dice que un matrimonio feliz es la unión de dos personas que saben perdonar.

⁷ Los esposos también deben fijarse en que Jesús fue siempre considerado con sus discípulos. Tuvo en cuenta sus limitaciones y sus necesidades físicas. Por ejemplo, en una ocasión en la que estaban cansados les dijo: "Vengan, [...] en privado, a un lugar solitario, y descansen un poco" (Marcos 6:30-32). La esposa merece la misma consideración. La Biblia se refiere a la mujer con la expresión "un vaso más débil" —lo que quiere decir que es un ser más delicado— y manda al esposo que le dé "honra". ¿Por qué? Porque tanto él como ella recibirán por igual el "favor inmerecido de la vida" (1 Pedro 3:7). Los esposos deben recordar que lo que nos hace valiosos a los ojos de Dios no es el hecho de que seamos hombres o mujeres, sino de que seamos fieles (Salmo 101:6).

⁸ La Biblia dice que el hombre que "ama a su esposa, a sí

---

7. ¿Qué tuvo en cuenta Jesús, y por qué sirve eso de ejemplo a los esposos?
8. a) ¿Por qué puede decirse que el hombre que "ama a su esposa, a sí mismo se ama"? b) ¿Qué implica que el esposo y la esposa sean "una sola carne"?

mismo se ama". La razón es que "ya no son dos, sino *una sola carne*", como señaló Jesús (Mateo 19:6). Por lo tanto, los casados solo deben demostrar interés sexual en su pareja (Proverbios 5:15-21; Hebreos 13:4). Para lograrlo, cada uno de ellos debe preocuparse por satisfacer las necesidades del otro, y no solo las suyas (1 Corintios 7:3-5). Es interesante que se diga que "nadie jamás ha odiado a su *propia carne; antes bien, la alimenta y la acaricia*". El esposo debe amar a su esposa como se ama a sí mismo y debe recordar que tendrá que rendir cuentas a su cabeza, Jesucristo (Efesios 5:29; 1 Corintios 11:3).

⁹ El apóstol Pablo mencionó el "tierno cariño [...] de Cristo Jesús" (Filipenses 1:8). La ternura de Jesús hacía sentir bien a los demás. A sus discípulas les resultaba muy agradable la manera como las trataba (Juan 20:1, 11-13, 16). Del mismo modo, las mujeres casadas sienten la necesidad de que sus esposos les muestren ternura y cariño.

UN EJEMPLO PARA LAS ESPOSAS

¹⁰ Como toda organización, la familia necesita que alguien la dirija para funcionar bien. Hasta Jesús tiene alguien que está por encima de él y a quien se somete. "La cabeza del Cristo es Dios", tal como "la cabeza de la mujer es el varón" (1 Corintios 11:3). Jesús siempre se somete a su Cabeza, Dios. De esa manera nos da un buen ejemplo, porque todos tenemos un cabeza a quien debemos someternos.

¹¹ Debido a la imperfección, los esposos cometen errores y en muchas ocasiones no son cabezas de familia ideales. ¿Cómo debe reaccionar la esposa en esos casos? No debe hablar con desprecio de su marido ni intentar dirigir la

---

9. ¿Qué cualidad de Jesús se menciona en Filipenses 1:8, y por qué deben mostrarla los esposos?
10. ¿Qué ejemplo da Jesús a las esposas?
11. ¿Qué actitud debe mostrar la esposa hacia su esposo, y qué resultado puede tener su conducta?

familia. Tiene que recordar que Dios valora mucho el espíritu tranquilo y apacible (1 Pedro 3:4). Si tiene esa actitud, le costará menos trabajo ser sumisa a su esposo, incluso en las situaciones más difíciles. Además, las Escrituras dicen: "La esposa debe tenerle profundo respeto a su esposo" (Efesios 5:33). Pero ¿y si él no acepta a Cristo como su cabeza? La Biblia les aconseja a las casadas: "Estén en sujeción a sus propios esposos, a fin de que, si algunos no son obedientes a la palabra, sean ganados sin una palabra por la conducta de sus esposas, por haber sido ellos testigos oculares de su conducta casta junto con *profundo respeto*" (1 Pedro 3:1, 2).

¹² En ocasiones puede que la esposa no esté de acuerdo con su marido, sea cristiano o no. Pero si le expresa su opinión con tacto, no le estará mostrando falta de respeto. Puede que ella tenga razón y que toda la familia se beneficie si él le hace caso. La Biblia relata que Sara le recomendó a su esposo, Abrahán, una solución práctica para un problema que tenían en su hogar. Aunque a él no le gustó la idea, Dios le dijo: "Escucha su voz" (Génesis 21:9-12). Sin embargo, cuando el esposo toma una decisión final que no va en contra de las leyes divinas, la esposa se somete a su autoridad y apoya su decisión (Hechos 5:29; Efesios 5:24).

¹³ La labor de la esposa es fundamental para que la familia esté bien atendida. Por ejemplo, la Biblia les dice a las casadas que "amen a sus esposos, amen a sus hijos, sean de juicio sano, castas, trabajadoras en casa, buenas, sujetas a sus propios esposos" (Tito 2:4, 5). La esposa y madre que así lo hace se gana el cariño y el respeto de su familia (Proverbios 31:10, 28). Sin embargo, todos los matrimonios están formados por personas imperfectas. Por eso, puede que en algunas situaciones extremas terminen separándose o

---

12. ¿Por qué no está mal que la esposa exprese sus opiniones con respeto?
13. a) ¿Qué se anima a hacer a las casadas en Tito 2:4, 5? b) ¿Qué dice la Biblia sobre la separación y el divorcio?

¿Por qué fue Sara un buen ejemplo para las esposas?

divorciándose. La Palabra de Dios permite la separación en ciertos casos. Pero nadie debe tomar el asunto a la ligera, pues la Biblia aconseja: "La esposa no debe irse de su esposo; [...] y el esposo no debe dejar a su esposa" (1 Corintios 7:10, 11). Además, las Escrituras solo autorizan el divorcio si uno de los miembros de la pareja ha cometido fornicación, es decir, inmoralidad sexual (Mateo 19:9).

UN EJEMPLO PERFECTO PARA LOS PADRES

¹⁴ Jesús dio a los padres el ejemplo perfecto de cómo tienen que tratar a sus hijos. Cuando algunas personas quisieron impedir que los pequeños se le acercaran, Jesús les dijo: "Dejen que los niñitos vengan a mí; no traten de detenerlos". La Biblia relata que a continuación "tomó a los niños en los brazos y empezó a bendecirlos, poniendo las manos sobre ellos" (Marcos 10:13-16). En vista de que Jesús pasó tiempo con los niños, ¿no cree que usted debería hacer lo mismo con sus hijos? Ellos necesitan que usted les dedique mucho tiempo, no solo unos pocos ratos. Es fundamental que saque tiempo para enseñarles, pues así lo manda Jehová a los padres (Deuteronomio 6:4-9).

———

14. ¿Cómo trató Jesús a los niños, y qué necesitan ellos de sus padres?

¹⁵ Vivimos en un mundo cada vez más malvado. Por eso, los hijos necesitan que sus padres los protejan de quienes traten de hacerles daño, por ejemplo, quienes quieran abusar sexualmente de ellos. Jesús protegió a sus discípulos, a quienes llamó de forma cariñosa "hijitos". Cuando lo arrestaron, poco antes de que lo mataran, buscó la manera de que ellos pudieran escapar (Juan 13:33; 18:7-9). Si usted es padre o madre, esté pendiente de cualquier cosa que el Diablo intente hacer para perjudicar a sus hijos. Además, adviértales de los peligros (1 Pedro 5:8).* Nunca ha estado tan

———
* En el cap. 32 del libro *Aprendamos del Gran Maestro,* editado por los testigos de Jehová, se dan consejos para proteger a los niños.
———

15. ¿Qué pueden hacer los padres para proteger a sus hijos?

¿Qué pueden aprender los padres del modo como Jesús trató a los niños?

amenazado el bienestar físico, espiritual y moral de los niños como en nuestros días.

[16] La noche antes de que Jesús muriera, sus discípulos discutieron sobre quién era el más importante. En vez de enojarse con ellos, Jesús los corrigió cariñosamente tanto de palabra como con el ejemplo (Lucas 22:24-27; Juan 13: 3-8). Si usted tiene hijos, ¿cómo puede imitar a Jesús cuando los corrige? Es verdad que ellos necesitan que usted los discipline, pero solo debe hacerlo "hasta el grado debido" y nunca con furia. Piense siempre antes de hablar para que sus palabras no los hieran como "las estocadas de una espada" (Jeremías 30:11; Proverbios 12:18). Debe aplicar la disciplina de tal forma que el niño después entienda que fue lo mejor para él (Efesios 6:4; Hebreos 12:9-11).

UN MODELO PARA LOS HIJOS

[17] ¿Pueden los hijos aprender algo de Jesús? Claro que sí. Él demostró con su ejemplo que los hijos deben obedecer a sus padres. Dijo: "Hablo estas cosas así como el Padre me ha enseñado [...], porque yo siempre hago las cosas que le agradan" (Juan 8:28, 29). Tal como Jesús fue obediente a su Padre celestial, también los hijos deben hacer caso a sus padres. De hecho, así se lo manda la Biblia (Efesios 6:1-3). Aunque Jesús fue un niño perfecto, obedeció a sus padres humanos, José y María, que eran imperfectos. Sin duda, eso contribuyó a que toda la familia fuera feliz (Lucas 2:4, 5, 51, 52).

[18] ¿Cómo pueden los hijos parecerse más a Jesús y hacer felices a sus padres? Una manera es obedeciéndolos. Aunque a veces les cueste trabajo, eso es lo que Dios desea que hagan (Proverbios 1:8; 6:20). Jesús siempre obedeció a su

---

16. ¿Qué pueden aprender los padres de la manera como Jesús reaccionaba ante las imperfecciones de sus discípulos?
17. ¿Por qué fue Jesús un ejemplo perfecto para los hijos?
18. Indique por qué Jesús obedeció siempre a su Padre celestial y a quiénes hacen felices los hijos que obedecen a sus padres.

Padre celestial, hasta en las situaciones más difíciles. Cuando llegó el momento de que hiciera algo muy difícil que Dios le había mandado, le dijo: "Remueve de mí esta copa". Es decir, le pidió que lo librara de cumplir aquel requisito. Aun así, hizo la voluntad de Dios, porque se daba cuenta de que su Padre sabía qué era lo más conveniente (Lucas 22:42). Los hijos que aprenden a ser obedientes hacen muy felices tanto a sus padres como a Jehová, su Padre celestial (Proverbios 23:22-25).*

¹⁹ El Diablo tentó a Jesús, y podemos estar seguros de que también tentará a los jóvenes para que hagan cosas malas (Mateo 4:1-10). Por ejemplo, pudiera utilizar la presión de los compañeros, pues sabe lo difícil que es resistirla. Por lo tanto, es fundamental que los jóvenes eviten las malas compañías (1 Corintios 15:33). Tenemos el caso de Dina, la hija de Jacob: ella se juntó con personas que no adoraban a Jehová, y eso terminó causando muchos problemas (Génesis 34:1, 2). Joven, ¿te has puesto a pensar en cuánto sufre toda la familia cuando uno de sus miembros cae, por ejemplo, en la inmoralidad sexual? (Proverbios 17:21, 25.)

* El hijo puede desobedecer a sus padres solamente si estos le piden que haga algo que está en contra de las leyes de Dios (Hechos 5:29).

19. a) ¿Cómo tienta Satanás a los jóvenes? b) ¿Cómo afecta a los padres la mala conducta de sus hijos?

¿En qué deben pensar los jóvenes cuando estén frente a una tentación?

EL SECRETO DE LA FELICIDAD FAMILIAR

[20] Cuando surgen problemas en el hogar, es más fácil resolverlos si se siguen los consejos de la Biblia. De hecho, como ya hemos visto, poner en práctica esos consejos es el secreto de la felicidad familiar. Así pues, esposos, amen a su esposa y trátenla como Jesús trató a su congregación. Esposas, sométanse a la autoridad de su esposo e imiten a la esposa ejemplar de Proverbios 31:10-31. Padres, eduquen a sus hijos (Proverbios 22:6). Cabezas de familia, "presida[n] su propia casa excelentemente" (1 Timoteo 3:4, 5; 5:8). Por último, hijos, obedezcan a sus padres (Colosenses 3:20). Ningún miembro de la familia es perfecto; todos cometen errores. De modo que seamos humildes y pidamos perdón a los demás.

[21] Sin duda alguna, la Biblia contiene muchísimos consejos valiosos para la vida familiar. Además, nos habla del nuevo mundo de Dios y del Paraíso terrestre que estará lleno de siervos felices de Jehová (Revelación [Apocalipsis] 21:3, 4). ¡Qué futuro tan maravilloso nos espera! Pero aun ahora podemos disfrutar de una feliz vida familiar si seguimos las instrucciones que Dios nos da en su Palabra, la Biblia.

---

20. Para que la familia sea feliz, ¿qué debe hacer cada miembro?
21. ¿Qué maravilloso futuro nos espera, y cómo podemos disfrutar ahora de una feliz vida familiar?

LO QUE LA BIBLIA ENSEÑA

- El esposo debe amar a su esposa como a su propio cuerpo (Efesios 5:25-29).
- La esposa tiene que amar a su familia y respetar a su esposo (Tito 2:4, 5).
- Los padres deben amar, enseñar y proteger a sus hijos (Deuteronomio 6:4-9).
- Los hijos tienen que obedecer a sus padres (Efesios 6:1-3).

CAPÍTULO 15

La adoración que Dios aprueba

¿Le complacen a Dios todas las religiones?
¿Cómo podemos saber cuál es la religión verdadera?
¿Quiénes son los verdaderos siervos de Dios en nuestros días?

JEHOVÁ DIOS nos tiene mucho cariño. Por eso, pensando en nuestro bien, se ofrece a guiarnos. Si lo adoramos como él quiere, seremos felices y nos libraremos de muchos problemas en la vida. Además, tendremos su bendición y su ayuda (Isaías 48:17). Sin embargo, hay centenares de religiones. Aunque todas dicen que enseñan la verdad acerca de Dios, no están de acuerdo sobre quién es él ni sobre qué espera de nosotros.

² ¿Cómo puede usted saber de qué manera se debe adorar a Jehová? No hace falta que estudie y compare las creencias de todas las religiones. Solo tiene que aprender lo que *realmente* enseña la Biblia sobre la adoración verdadera. Pongamos una comparación. Como usted sabe, el dinero falso es un grave problema en muchos países. Pues bien, imagínese que recibe el encargo de separar los billetes falsos de los auténticos. ¿Cómo distinguirá unos de otros? ¿Aprendiéndose de memoria cada falsificación? En realidad, ¿no sería mucho más práctico estudiar cómo son los billetes *auténticos*? Cuando los conozca bien, podrá distinguir los falsos. Del mismo modo, es fácil reconocer las religiones falsas cuando aprendemos cómo debe ser la verdadera.

---

1. ¿Qué beneficios tendremos si adoramos a Dios como él quiere?
2. ¿Cómo puede usted saber de qué manera se debe adorar a Jehová, y qué comparación podríamos poner?

[3] Es importante que adoremos a Jehová como él quiere. Muchas personas creen que todas las religiones complacen a Dios, pero eso no es lo que enseña la Biblia. Tampoco basta con afirmar que uno es cristiano, pues Jesús dijo: "No todo el que me dice: 'Señor, Señor', entrará en el reino de los cielos, sino el que hace la voluntad de mi Padre que está en los cielos". Por lo tanto, Dios únicamente nos aprobará si aprendemos lo que él nos pide y lo ponemos por obra. A los que no hacen la voluntad de Dios, Jesús los llamó "obradores del desafuero", es decir, practicantes de la maldad (Mateo 7:21-23). La religión falsa es como el dinero falso: no tiene ningún valor. Y, lo que es peor, causa mucho daño.

[4] Jehová ofrece a todas las personas la oportunidad de tener vida eterna. Sin embargo, para que podamos vivir para siempre en el Paraíso, tenemos que adorarlo y comportarnos como él quiere. Por desgracia, muchos se niegan a hacerlo, y por eso Jesús dijo: "Entren por la puerta angosta; porque ancho y espacioso es el camino que conduce a la destrucción, y muchos son los que entran por él; mientras que angosta es la puerta y estrecho el camino que conduce a la vida, y pocos son los que la hallan" (Mateo 7:13, 14). Como vemos, la religión verdadera conduce a la vida, y la falsa a la destrucción. Ahora bien, Jehová no desea que ningún ser humano sea destruido, y por eso da a gente de todo el mundo la oportunidad de conocerlo (2 Pedro 3:9). En realidad, nuestra forma de adorar a Dios puede llevarnos a la vida o llevarnos a la muerte.

¿CÓMO PODEMOS SABER CUÁL ES LA RELIGIÓN VERDADERA?

[5] ¿Cómo podemos encontrar "el camino que conduce a

---

3. Según explicó Jesús, ¿qué debemos hacer para que Dios nos apruebe?
4. ¿Qué representan los dos caminos que mencionó Jesús, y adónde lleva cada uno de ellos?
5. ¿Cómo podemos saber quiénes practican la religión verdadera?

la vida"? Jesús indicó que sería fácil distinguir a quienes practican la religión verdadera si nos fijamos en la vida que llevan. Dijo lo siguiente: "Por sus frutos los reconocerán", pues "todo árbol bueno produce fruto excelente" (Mateo 7: 16, 17). En otras palabras, los que practican la religión verdadera se destacan tanto por sus creencias como por sus obras. Aunque son imperfectos y cometen errores, en conjunto procuran hacer la voluntad de Dios. Veamos seis características que nos permitirán reconocerlos.

⁶ *Los siervos de Dios basan sus enseñanzas en la Biblia.* La propia Palabra de Dios dice: "Toda Escritura es inspirada de Dios y provechosa para enseñar, para censurar, para rectificar las cosas, para disciplinar en justicia, para que el hombre [o mujer] de Dios sea enteramente competente y esté completamente equipado para toda buena obra" (2 Timoteo 3:16, 17). El apóstol Pablo escribió a sus hermanos cristianos: "Cuando ustedes recibieron la palabra de Dios, que oyeron de parte de nosotros, la aceptaron, no como palabra de hombres, sino, como lo que verdaderamente es, como palabra de Dios" (1 Tesalonicenses 2:13). Por lo tanto, las enseñanzas y prácticas de la religión verdadera no se basan en creencias ni tradiciones de hombres. Más bien, tienen su origen en la Biblia, la Palabra inspirada de Dios.

⁷ Jesucristo dio el ejemplo, pues él también basó sus enseñanzas en la Palabra de Dios. En una oración a su Padre celestial dijo: "Tu palabra es la verdad" (Juan 17:17). Jesús creía en la Palabra de Dios, y todo lo que enseñaba estaba de acuerdo con las Escrituras. A menudo decía: "Está escrito", y a continuación citaba un texto bíblico (Mateo 4:4, 7, 10). Del mismo modo, los siervos de Dios de la actualidad no enseñan sus propias ideas. Más bien, creen que la Biblia es la Palabra de Dios y se basan firmemente en lo que esta dice.

6, 7. ¿Qué piensan los siervos de Dios acerca de la Biblia, y cómo dio Jesús el ejemplo en este asunto?

LOS QUE ADORAN AL DIOS VERDADERO

- basan sus enseñanzas en la Biblia
- adoran únicamente a Jehová y dan a conocer su nombre
- se aman de verdad
- aceptan a Jesús como el medio que Dios usa para salvarlos
- no son parte del mundo
- predican que el Reino de Dios es la única esperanza para la humanidad

⁸ *Las personas que practican la religión verdadera adoran únicamente a Jehová y dan a conocer su nombre.* Jesús enseñó: "Es a Jehová tu Dios a quien tienes que adorar, y es solo a él a quien tienes que rendir servicio sagrado" (Mateo 4:10). Así que los siervos de Dios adoran a Jehová, y a nadie más. De hecho, dar a conocer el nombre y las cualidades del Dios verdadero forma parte de su adoración. Salmo 83:18 dice así: "Tú, cuyo nombre es Jehová, tú solo eres el Altísimo sobre toda la tierra". Jesús es el modelo que siguen al ayudar a la gente a conocer a Dios. Él mismo dirigió a su Padre estas palabras: "He puesto tu nombre de manifiesto a los hombres que me diste del mundo" (Juan 17:6). Hoy, de igual forma, los verdaderos siervos de Dios enseñan al prójimo el nombre, los propósitos y las cualidades de Jehová.

⁹ *Los siervos de Dios se aman de verdad, sin egoísmo.* Jesús dijo: "En esto todos conocerán que ustedes son mis discípulos, si tienen amor entre sí" (Juan 13:35). Los primeros cristianos se querían de esa manera. El amor de los siervos de Dios vence barreras raciales, sociales y nacionales, y los une inseparablemente en una verdadera hermandad (Colosenses 3:14). Los miembros de las religiones falsas no se tienen ese amor. Si lo tuvieran, no se matarían unos a otros por ser de distinta nación o raza. Los verdaderos cristianos no toman las armas para quitarles la vida a sus hermanos en la fe ni a ninguna otra persona. La Biblia enseña: "Los hijos de Dios y los hijos del Diablo se hacen evidentes por este hecho: Todo el que no se ocupa en la justicia no se origina de Dios, tampoco el que no ama a su hermano [...;] debemos tener amor unos para con otros; no como Caín, que se originó del inicuo [es decir, Satanás] y degolló a su hermano" (1 Juan 3:10-12; 4:20, 21).

¹⁰ Claro está, ese amor sincero impide matar al próji-

8. ¿Qué forma parte de la adoración a Jehová?
9, 10. ¿De qué maneras se muestran amor los cristianos verdaderos?

mo, pero implica mucho más. Los cristianos verdaderos emplean generosamente su tiempo, energías y posesiones para ayudarse y animarse unos a otros (Hebreos 10:24, 25). Se apoyan en los momentos difíciles y son honrados con los demás. De hecho, obedecen el consejo bíblico de hacer "lo que es bueno para con todos" (Gálatas 6:10).

[11] *Los cristianos verdaderos aceptan a Jesucristo como el medio que Dios usa para salvarlos.* La Biblia enseña que "no hay salvación en ningún otro, porque no hay otro nombre debajo del cielo que se haya dado entre los hombres mediante el cual tengamos que ser salvos" (Hechos 4:12). Como vimos en el capítulo 5, Jesús dio su vida para rescatar a los seres humanos obedientes (Mateo 20:28). Además, Jehová lo ha nombrado Rey del Reino celestial que gobernará toda la Tierra. Por lo tanto, Dios espera que obedezcamos a Jesús y sigamos sus enseñanzas. Solo así podremos vivir para siempre. Por esta razón, la Biblia dice: "El que ejerce fe en el Hijo tiene vida eterna; el que desobedece al Hijo no verá la vida" (Juan 3:36).

[12] *Los verdaderos siervos de Dios no son parte del mundo.* Cuando Jesús se hallaba ante el gobernador romano Pilato, que lo estaba juzgando, le dijo: "Mi reino no es parte de este mundo" (Juan 18:36). Sin importar el país en que vivan, los verdaderos discípulos de Cristo se someten a su Reino celestial. Por eso, no intervienen ni en la política ni en los conflictos de este mundo, sino que se mantienen totalmente neutrales. Sin embargo, si otras personas quieren afiliarse a un partido político, ser candidatos electorales o votar, ellos no se entrometen en su decisión. Y aunque son neutrales en la política, obedecen las leyes. ¿Por qué? Porque la Palabra de Dios manda al cristiano que "esté en sujeción

11. ¿Por qué es fundamental aceptar a Jesucristo como el medio que Dios usa para salvarnos?
12. ¿Qué significa no ser parte del mundo?

a las autoridades superiores", es decir, a los gobernantes (Romanos 13:1). Pero cuando un sistema político exige algo que va en contra de los mandatos divinos, los adoradores verdaderos siguen el ejemplo de los apóstoles, quienes dijeron: "Tenemos que obedecer a Dios como gobernante más bien que a los hombres" (Hechos 5:29; Marcos 12:17).

¹³ *Los verdaderos discípulos de Jesús predican que el Reino de*

13. ¿Qué creen acerca del Reino de Dios los verdaderos discípulos de Jesús y, por lo tanto, qué hacen?

Al servir a Jehová con Su pueblo,
usted ganará mucho más de lo que pueda perder

Dios es la única esperanza para la humanidad. Jesús profetizó: "Estas buenas nuevas del reino se predicarán en toda la tierra habitada para testimonio a todas las naciones; y entonces vendrá el fin" (Mateo 24:14). Los verdaderos seguidores de Jesucristo no animan a la gente a confiar en que los gobernantes humanos solucionarán sus problemas. Más bien, proclaman que la única esperanza para la humanidad es el Reino celestial de Dios (Salmo 146:3). De hecho, Jesús nos enseñó a pedir en nuestras oraciones que llegue ese gobierno perfecto, pues dijo: "Venga tu reino. Efectúese tu voluntad, como en el cielo, también sobre la tierra" (Mateo 6:10). La Palabra de Dios predice que este Reino celestial "pondrá fin a todos estos reinos [que ahora existen], y él mismo subsistirá [o durará] hasta tiempos indefinidos" (Daniel 2:44).

¹⁴ Teniendo en cuenta lo anterior, pregúntese: "¿Qué grupo religioso basa todas sus enseñanzas en la Biblia y da a conocer que el nombre de Dios es Jehová? Sí, ¿qué grupo practica el amor cristiano, demuestra fe en Jesús, se mantiene separado del mundo y proclama que el Reino de Dios es la única esperanza verdadera para la humanidad? De todas las religiones de la Tierra, ¿cuál es la única que reúne todas estas características?". Los hechos indican claramente que son los testigos de Jehová (Isaías 43:10-12).

¿QUÉ HARÁ USTED?

¹⁵ Para agradar a Dios no es suficiente con creer en él. Al fin y al cabo, la Biblia dice que hasta los demonios creen que Dios existe (Santiago 2:19). Pero es evidente que no hacen la voluntad de Jehová ni tienen su aprobación. Para complacer a Dios no solo tenemos que creer que existe, sino también hacer su voluntad. Además, debemos salirnos de la religión falsa y abrazar la verdadera.

---

14. En su opinión, ¿qué grupo reúne las características que identifican a la religión verdadera?
15. ¿Qué espera Dios de nosotros además de creer que él existe?

¹⁶ El apóstol Pablo mostró que no debemos participar en la adoración falsa. Escribió: " 'Sálganse de entre ellos, y sepárense —dice Jehová—, y dejen de tocar la cosa inmunda'; 'y yo los recibiré' " (2 Corintios 6:17; Isaías 52:11). Por lo tanto, los cristianos verdaderos evitan todo lo que tenga que ver con la religión falsa.

¹⁷ La Biblia enseña que todas las religiones falsas forman parte de "Babilonia la Grande" (Revelación [Apocalipsis] 17:5).* Este nombre nos recuerda a la antigua ciudad de Babilonia, donde nació la religión falsa después del Diluvio de Noé. Muchas enseñanzas y prácticas que hoy son comunes en la religión falsa surgieron en Babilonia hace mucho tiempo. Por ejemplo, sus habitantes adoraban tríadas o trinidades de dioses, y en nuestros días, la principal doctrina de muchas religiones es justamente la Trinidad. Pero la Biblia, en cambio, enseña con toda claridad que hay un solo Dios verdadero, Jehová, y que Jesucristo es su Hijo (Juan 17:3). Los babilonios también creían que el hombre tenía un alma inmortal que seguía viviendo después de la muerte del cuerpo y que podía sufrir en un lugar de tormento. Hoy, la mayoría de las religiones enseñan que tenemos un alma o espíritu inmortal que puede sufrir en el infierno.

¹⁸ La religión que se practicaba en la antigua Babilonia se esparció por toda la Tierra. Por lo tanto, es lógico concluir que la moderna Babilonia la Grande simboliza el imperio mundial de la religión falsa. Pues bien, Dios ha predicho que ese imperio tendrá un final repentino (Revelación 18:8). ¿Comprende usted por qué es tan importante separarse por completo de Babilonia la Grande? Jehová Dios de-

---

* En el apéndice, págs. 219, 220, se explica por qué Babilonia la Grande representa el imperio mundial de la religión falsa.

---

16. ¿Qué debemos hacer para no ser parte de la religión falsa?
17, 18. ¿Qué es "Babilonia la Grande", y por qué es urgente 'salirse de ella'?

sea que usted 'se salga de ella' sin tardanza, mientras todavía queda tiempo (Revelación 18:4).

[19] Al tomar usted la decisión de abandonar la religión falsa, es posible que algunas personas se alejen de su compañía. Sin embargo, al servir a Jehová junto con Su pueblo, ganará mucho más de lo que pueda perder. A usted le ocurrirá lo mismo que a los primeros discípulos de Jesús, quienes habían dejado otras cosas para seguirlo: llegará a tener muchos hermanos y hermanas espirituales. De hecho, formará parte de una gran familia mundial, una hermandad de millones de cristianos verdaderos que le mostrarán auténtico amor. Y tendrá la maravillosa esperanza de vivir para siempre "en el sistema de cosas venidero" (Marcos 10:28-30). Además, puede que las personas que se aparten de usted porque ahora tiene otras creencias, con el tiempo aprendan lo que enseña la Biblia y se hagan siervos de Jehová.

[20] La Biblia enseña que Dios pronto acabará con este mundo malvado y lo reemplazará con un mundo justo gobernado por su Reino (2 Pedro 3:9, 13). ¡Qué maravilloso será ese nuevo mundo! En él solo habrá una religión, una adoración verdadera. ¿No le parece que debería dar los pasos necesarios para reunirse desde ahora con los verdaderos siervos de Dios?

---

19. ¿Qué ganará por servir a Jehová?
20. ¿Qué futuro tendrán quienes practican la religión verdadera?

LO QUE LA BIBLIA ENSEÑA

- Hay una sola religión verdadera (Mateo 7:13, 14).
- La religión verdadera se reconoce por sus enseñanzas y prácticas (Mateo 7:16, 17).
- Los testigos de Jehová practican la religión que Dios aprueba (Isaías 43:10).

CAPÍTULO 16

Póngase de parte
de la adoración verdadera

¿Qué enseña la Biblia
sobre el uso de imágenes?

¿Cómo ven los cristianos
las fiestas religiosas?

¿Cómo puede explicar
sus creencias sin ofender a nadie?

IMAGÍNESE que descubre que alguien ha estado arrojando a escondidas residuos tóxicos muy cerca de donde usted reside. Todo el barrio está contaminado, y su vida corre peligro. ¿Qué puede hacer? Lo más probable es que trate de mudarse. Pero aunque se marche del lugar, tendrá que contestar una pregunta importante: "¿Estoy envenenado?".

² Algo parecido sucede con la religión falsa. La Biblia enseña que está contaminada con enseñanzas y prácticas inmundas, o sucias (2 Corintios 6:17). Por eso es vital salirse de "Babilonia la Grande", el imperio mundial de la religión falsa (Revelación [Apocalipsis] 18:2, 4). ¿Lo ha hecho usted ya? Si así es, lo felicitamos. Pero no es suficiente con que abandone una religión falsa o presente su renuncia a ella. También debe preguntarse: "¿Quedan restos de la adoración falsa en mi vida?". Veamos algunos ejemplos.

1, 2. ¿Qué pregunta debe usted hacerse después de abandonar la religión falsa, y por qué diría que es importante hacérsela?

LAS IMÁGENES Y EL CULTO A LOS ANTEPASADOS

³ Hay personas que tienen imágenes o altares en su casa desde hace años. ¿Es ese su caso? Si así es, tal vez le parezca extraño o incorrecto orar a Dios sin utilizar algo visible. Puede que hasta les tenga cariño a algunos de estos objetos. Sin embargo, es Dios quien decide cómo debemos adorarlo, y la Biblia enseña que él no quiere que utilicemos imágenes (Éxodo 20:4, 5; Salmo 115:4-8; Isaías 42:8; 1 Juan 5:21). Por lo tanto, para ponerse de parte de la adoración *verdadera*, usted debería destruir todos los objetos que posea que estén relacionados con la adoración *falsa*. Trate de verlos igual que Jehová: como una "cosa detestable" (Deuteronomio 27:15).

⁴ Otra práctica común en muchas religiones falsas es el

3. a) Explique qué dice la Biblia sobre el uso de imágenes y por qué les cuesta aceptar a algunas personas lo que Dios piensa sobre las imágenes. b) Si usted posee algún objeto relacionado con la adoración falsa, ¿qué debería hacer con él?
4. a) ¿Por qué no sirve de nada dar culto a los antepasados? b) ¿Por qué prohibió Jehová al pueblo de Israel que practicara cualquier forma de espiritismo?

culto a los antepasados. Antes de aprender la verdad de la Biblia, algunas personas creían que los difuntos siguen viviendo en una región invisible y que pueden ayudar o perjudicar a los vivos. Quizá usted hacía grandes esfuerzos por apaciguar a sus antepasados. Pero, como aprendió en el capítulo 6 de este libro, los muertos no siguen viviendo en ningún lugar. Por eso, no sirve de nada tratar de comunicarse con ellos. Todo mensaje que parezca venir de un ser amado que ha fallecido viene en realidad de los demonios. Por este motivo, Jehová prohibió al pueblo de Israel que intentara hablar con los muertos o que practicara cualquier otra forma de espiritismo (Deuteronomio 18:10-12).

[5] ¿Qué puede hacer si la religión que ha seguido hasta ahora usa imágenes o da culto a los antepasados? Lea con mucha atención los pasajes de la Biblia que muestran lo que Dios piensa de estas prácticas. Ore a Jehová todos los días; dígale que desea ponerse de parte de la adoración verdadera y pídale que lo ayude a pensar como él (Isaías 55:9).

LOS PRIMEROS CRISTIANOS NO CELEBRABAN LA NAVIDAD

[6] Nuestra adoración puede contaminarse con la religión falsa si celebramos ciertas fiestas populares. Tomemos como ejemplo la Navidad. Supuestamente, esta festividad recuerda el nacimiento de Jesucristo, y casi todas las religiones que afirman ser cristianas la celebran. Sin embargo, no hay pruebas de que los discípulos de Jesús del siglo primero la celebraran. El libro *Los orígenes sagrados de las cosas profundas* dice: "Durante los dos siglos que siguieron al

---

5. ¿Qué puede hacer si hasta ahora ha usado imágenes o ha dado culto a los antepasados?
6, 7. a) Explique qué recuerda supuestamente la Navidad y si la celebraban los cristianos del siglo primero. b) ¿Con qué se asociaban los cumpleaños en el tiempo de los primeros discípulos de Jesús?

nacimiento de Cristo nadie sabía, y a pocos les importaba, cuándo había nacido exactamente Jesús".

[7] Y aunque los discípulos de Jesús hubieran conocido la fecha exacta de su nacimiento, no habrían festejado su cumpleaños. ¿Por qué? Porque los primeros cristianos "consideraban estas festividades [...] como reliquias de las prácticas paganas" *(Las cosas nuestras de cada día)*. Los únicos cumpleaños que menciona la Biblia son los de dos gobernantes que no adoraban a Jehová (Génesis 40:20; Marcos 6:21). Este tipo de celebraciones también se realizaban en honor de los dioses paganos. Por ejemplo, los romanos celebraban el 24 de mayo el nacimiento de la diosa Diana y al día siguiente, el de Apolo, el dios del Sol. Así pues, los cumpleaños no se asociaban con el cristianismo, sino con la adoración a dioses paganos.

[8] Los cristianos del siglo primero no habrían celebrado el nacimiento de Jesús por otra razón: ellos probablemente sabían que los cumpleaños estaban relacionados con la superstición. Muchos griegos y romanos de la antigüedad, por ejemplo, creían que cada persona tenía un espíritu protector que había estado presente en su nacimiento y que la cuidaba durante toda su vida. "Este espíritu tenía una relación mística con el dios que cumplía años el mismo día de la persona." (*The Lore of Birthdays* [La tradición de los cumpleaños].) A Jehová jamás le agradaría una celebración que relacionara a Jesús con la superstición (Isaías 65:11, 12). En vista de todo lo anterior, ¿por qué celebra tanta gente la Navidad?

EL ORIGEN DE LA NAVIDAD

[9] Varios siglos después de que Jesús vino a la Tierra, se

---

8. Explique la relación entre los cumpleaños y la superstición.
9. ¿Por qué se eligió el 25 de diciembre para recordar el nacimiento de Jesús?

eligió el 25 de diciembre para recordar su nacimiento. Pero Jesús *no nació* en diciembre,* sino al parecer en octubre. Entonces ¿por qué se eligió ese día? Probablemente porque algunos que decían ser cristianos deseaban "suplantar las festividades paganas por otras cristianas. [...] En Roma los paganos consagraban el día 25 de diciembre a celebrar [...] el nacimiento del 'Sol invencible'" *(Enciclopedia de la Religión Católica).* En invierno, cuando el Sol parecía más débil, los paganos organizaban ceremonias para hacer que el Sol regresara de sus lejanos viajes y les regalara su luz y calor. Se creía que el 25 de diciembre el Sol comenzaba dicho regreso. Con la idea de convertir a los paganos, las autoridades religiosas adoptaron esta festividad y trataron de que pareciera "cristiana".#

¿Recogería un caramelo de la alcantarilla y se lo comería?

10 Hace tiempo que se sabe que la Navidad tiene raíces paganas. Como su origen no es bíblico, esta fiesta estuvo prohibida en Inglaterra y en algunas colonias norteamericanas durante el siglo XVII. Todo el que faltaba al trabajo para quedarse en casa el día de Navidad era multado. Sin embargo, al poco tiempo regresaron las viejas costumbres, y se añadieron otras más. La Navidad volvió a convertirse en una gran fiesta y lo sigue siendo en muchos países.

---

* Consulte el apéndice, págs. 221, 222.

Las saturnales también tuvieron que ver con la elección del 25 de diciembre. Estas fiestas en honor del dios romano de la agricultura se celebraban del 17 al 24 de diciembre. En ellas eran comunes los banquetes, el jolgorio y los regalos.

---

10. ¿Por qué no celebraban la Navidad algunas personas en el pasado?

Pero las personas que desean agradar a Dios tienen en cuenta que está relacionada con la religión falsa y no celebran ni esta ni ninguna otra festividad que tenga raíces paganas.*

¿IMPORTA REALMENTE EL ORIGEN?

[11] Algunas personas reconocen que hay fiestas como la Navidad que tienen origen pagano, pero no ven mal celebrarlas. Opinan que, al fin y al cabo, casi nadie las relaciona con la adoración falsa y, además, son ocasiones en las que se reúne la familia. ¿Piensa usted así? En ese caso, seguramente es su amor a la familia, y no el apego a la religión falsa, lo que le está haciendo difícil ponerse de parte de la adoración verdadera. Pues bien, tenga la seguridad de que Jehová, quien creó la familia, quiere que usted se lleve bien con sus parientes (Efesios 3:14, 15). Pero hay otras maneras de lograrlo y al mismo tiempo agradar a Dios. El apóstol Pablo indicó qué debería ser lo más importante para nosotros: "Sigan asegurándose de lo que es acepto al Señor" (Efesios 5:10).

[12] Quizá usted piense que hoy en día esas fiestas no se celebran con el mismo motivo que en la antigüedad. ¿Importa realmente el origen? Claro que sí. Imagínese que viera un caramelo en una alcantarilla. ¿Se lo comería? Por supuesto que no; está sucio. Como ese caramelo, hay fiestas que tal vez parezcan atractivas, pero provienen de lugares inmundos, o sucios. Si queremos ponernos de parte de la adoración verdadera, debemos pensar como el profeta

---

* En el apéndice, págs. 222, 223, se explica cómo ven los cristianos verdaderos otras fiestas populares.

---

11. Explique por qué celebran ciertas fiestas algunas personas y qué debería ser lo más importante para nosotros.
12. ¿Qué comparación muestra que debemos alejarnos de las costumbres y celebraciones de origen inmundo?

Isaías. A las personas que servían a Dios con sinceridad, él les dijo: "No toquen nada inmundo" (Isaías 52:11).

EXPLIQUE SUS CREENCIAS CON TACTO

[13] Puede que se le presenten dificultades cuando decida abandonar ciertas celebraciones. Por ejemplo, ¿qué haría si sus compañeros de trabajo no entendieran por qué no participa en actividades relacionadas con algunas fiestas? ¿Y si alguien le diera un regalo de Navidad? ¿Estaría mal que lo aceptara? ¿Cómo actuaría si su esposo o su esposa no tuviera las mismas creencias que usted? ¿Qué puede hacer para que sus hijos no crean que se pierden algo bueno por no celebrar ciertas fiestas?

[14] Hace falta tener buen juicio para saber cómo actuar en cada situación. Por ejemplo, si alguien le desea unas felices fiestas, usted podría limitarse a darle las gracias. Pero si se trata de una persona que ve a menudo, como un compañero de trabajo, tal vez quiera explicarle algo más. En cualquier caso, demuestre tacto. La Biblia aconseja: "Que su habla siempre sea con gracia, sazonada con sal, para que sepan cómo deben dar una respuesta a cada uno" (Colosenses 4:6). Explique su postura con prudencia tratando de no ofender a nadie. Deje claro que no le parece mal dar regalos ni reunirse, pero que prefiere elegir otro momento.

[15] ¿Y si alguien quiere hacerle un regalo? Mucho dependerá de las circunstancias. Tal vez le digan: "Ya sé que no celebras esta fiesta, pero deseo regalarte esto". En ese caso, quizás usted decida que aceptar el obsequio no significa que participa en la fiesta. Pero si la persona no conoce sus creencias, usted podría decirle que no celebra esa fies-

---

13. ¿Qué dificultades se le podrían presentar por no participar en ciertas festividades?
14, 15. ¿Qué podría hacer si alguien le desea unas felices fiestas o quiere hacerle un regalo?

ta. Eso explicaría por qué acepta el regalo sin entregar otro a cambio. Por otro lado, tal vez le ofrezcan algo con la clara intención de demostrar que no es fiel a sus creencias o que por cosas materiales está dispuesto a violar sus principios. Entonces no sería aconsejable que lo aceptara.

CÓMO TRATAR CON LOS FAMILIARES

[16] ¿Qué ocurre si sus familiares no comparten sus creencias? Nuevamente, deberá actuar con tacto. No tiene por qué discutir por cada costumbre que los demás deseen seguir o por cada fiesta que deseen celebrar. Respete su opinión, tal como usted quiere que ellos respeten la suya (Mateo 7:12). Pero no haga nada que lo lleve a participar en la fiesta. Por otra parte, sea razonable cuando se trate de asuntos que no den a entender que participa en la celebración. Como es natural, usted siempre debe actuar de manera que su conciencia quede tranquila (1 Timoteo 1:18, 19).

[17] ¿Qué puede hacer para que sus hijos no crean que se pierden algo bueno por no celebrar fiestas que son contrarias a las Escrituras? Mucho depende de lo que haga el resto del año. Hay padres que buscan otras ocasiones para dar regalos a sus hijos. Uno de los mejores regalos es dedicarles tiempo y darles cariño.

PRACTIQUE LA ADORACIÓN VERDADERA

[18] Para agradar a Dios, usted debe rechazar la adoración falsa y ponerse de parte de la adoración verdadera. ¿Cómo puede hacerlo? La Biblia dice: "Consideremos cómo estimularnos unos a otros al amor y a las buenas obras.

---

16. ¿Cómo puede actuar con tacto en asuntos relacionados con las fiestas?
17. ¿Qué puede hacer para que sus hijos no crean que se pierden algo bueno cuando ven a los demás celebrar ciertas fiestas?
18. ¿Cómo le ayudarán las reuniones cristianas a ponerse de parte de la adoración verdadera?

No dejemos de reunirnos, como acostumbran algunos, sino animémonos unos a otros, y mucho más al ver que el día se acerca" (Hebreos 10:24, 25, *Nueva Versión Internacional*, 1990). Las reuniones cristianas son ocasiones felices en las que podemos adorar a Dios como él aprueba (Salmo 22:22; 122:1). En tales reuniones se produce "un intercambio de estímulo" entre los cristianos fieles (Romanos 1:12).

[19] Otra manera de ponerse de parte de la adoración verdadera es hablando de lo que ha aprendido al estudiar la Biblia con los testigos de Jehová. Mucha gente realmente está "suspirando y gimiendo" debido a la maldad que hay en el mundo (Ezequiel 9:4). Quizá conozca personas que se sienten así. ¿Por qué no conversa con ellas sobre su esperanza bíblica para el futuro? No deje de hablar de las maravillosas enseñanzas que ha aprendido en la Biblia y de reunirse con los cristianos verdaderos. Si así lo hace, verá que cada vez le atraerán menos las costumbres de la adoración falsa. No tenga la menor duda: si se pone de parte de la adoración verdadera, será muy feliz y recibirá muchas bendiciones (Malaquías 3:10).

---

19. ¿Por qué es importante que cuente a los demás lo que ha aprendido de la Biblia?

LO QUE LA BIBLIA ENSEÑA

- En la adoración verdadera no hay lugar para las imágenes ni para el culto a los antepasados (Éxodo 20:4, 5; Deuteronomio 18:10-12).

- Dios no aprueba que participemos en fiestas que tengan origen pagano (Efesios 5:10).

- Los cristianos verdaderos deben explicar sus creencias con tacto (Colosenses 4:6).

Si practica la adoración verdadera, será muy feliz

CAPÍTULO 17

La oración nos acerca a Dios

¿Por qué razón debemos orar?

¿Qué debemos hacer para que Dios nos escuche?

¿Cómo responde Dios nuestras oraciones?

EN COMPARACIÓN con el inmenso universo, nuestro planeta es muy pequeño. De hecho, para Jehová, "el Hacedor del cielo y de la tierra", las naciones son como una diminuta gota de agua de un balde (Salmo 115:15; Isaías 40:15). Sin embargo, la Biblia dice que "Jehová está cerca de todos los que lo invocan, de todos los que lo invocan en apego a la verdad", y que él cumplirá "el deseo de los que le temen, y oirá su clamor por ayuda" (Salmo 145:18, 19). Piense en el significado de estas palabras. El Creador todopoderoso está cerca de nosotros y nos oirá si "lo invoca[mos] en apego a la verdad", es decir, con fidelidad. ¡Qué privilegio tenemos de poder orarle!

2 No obstante, si queremos que Jehová escuche nuestras oraciones, debemos orarle de la manera que él aprueba. Pero ¿cómo vamos a hacerlo si no sabemos lo que enseña la Biblia sobre la oración? Es vital que lo sepamos, pues la oración nos acerca a Jehová.

¿POR QUÉ DEBEMOS ORAR A JEHOVÁ?

3 Una razón importante por la que debemos orar a Jeho-

1, 2. ¿Por qué debemos considerar la oración un gran privilegio, y por qué necesitamos saber lo que enseña la Biblia sobre la oración? 3. Mencione una razón importante por la que debemos orar a Jehová.

"El Hacedor del cielo y de la tierra" desea escuchar nuestras oraciones

vá es que él nos invita a hacerlo. Su Palabra dice: "No se inquieten por cosa alguna, sino que en todo, por oración y ruego junto con acción de gracias, dense a conocer sus peticiones a Dios; y la paz de Dios que supera a todo pensamiento guardará sus corazones y sus facultades mentales mediante Cristo Jesús" (Filipenses 4:6, 7). Seguramente, no queremos rechazar una invitación tan bondadosa del Gobernante Supremo del universo.

⁴ Otra razón por la que debemos orar es que cuando lo hacemos con frecuencia, se estrecha nuestra relación con Jehová. Los buenos amigos no se comunican solo cuando necesitan algo, sino en cualquier momento, porque se interesan el uno en el otro. Su amistad se va fortaleciendo a medida que se expresan con toda libertad sus pensamientos, preocupaciones y sentimientos. En cierto sentido, algo parecido ocurre con nuestra relación con Jehová. Gracias a este libro, usted ha aprendido mucho sobre lo que la Biblia enseña acerca de Jehová, su personalidad y su propósito.

4. ¿Por qué diría usted que al orar con frecuencia se estrecha nuestra relación con Jehová?

Ha llegado a ver a Dios como una persona real. Pues bien, la oración le permite expresar a su Padre celestial sus pensamientos y sentimientos más íntimos. Y de esa forma se acercará más a él (Santiago 4:8).

¿QUÉ CONDICIONES HAY QUE CUMPLIR?

⁵ ¿Escucha Jehová todas las oraciones? Fíjese en lo que les dijo a los israelitas rebeldes que vivían en el tiempo del profeta Isaías: "Aunque hagan muchas oraciones, no escucho; sus mismas manos se han llenado de derramamiento de sangre" (Isaías 1:15). Así que si nos comportamos de una manera que Dios no aprueba, él no escuchará nuestras oraciones. Por tanto, para que sí las escuche, debemos cumplir algunas condiciones básicas.

⁶ Una condición esencial es tener fe (Marcos 11:24). El apóstol Pablo escribió: "Sin fe es imposible agradar a Dios, ya que cualquiera que se acerca a Dios tiene que creer que él existe y que recompensa a quienes lo buscan" (Hebreos 11:6, *Nueva Versión Internacional*). Sin embargo, para tener fe verdadera no basta con saber que Dios existe y que escucha y responde las oraciones. La fe se demuestra con acciones. En nuestro modo de vida debe notarse claramente que tenemos fe (Santiago 2:26).

⁷ Otra condición que pone Jehová es que la oración se haga con humildad y sinceridad. ¿Y no es verdad que tenemos muchas razones para ser humildes al hablar con Dios? Cuando la gente tiene la oportunidad de conversar con un rey o un presidente, suele hacerlo con respeto, pues reconoce la elevada posición que ocupa esa persona. Sin

---

5. ¿Cómo sabemos que Jehová no escucha todas las oraciones?
6. Para que Dios escuche nuestras oraciones, ¿qué es esencial que tengamos, y cómo demostramos que lo tenemos?
7. a) ¿Por qué debemos dirigirnos a Jehová con respeto? b) ¿Cómo demostramos humildad y sinceridad al orar?

duda, Jehová merece que nos dirijamos a él con mucho más respeto (Salmo 138:6). Al fin y al cabo, es el "Dios Todopoderoso" (Génesis 17:1). Nuestra forma de hablarle debe indicar que reconocemos humildemente que somos muy inferiores a él. Dicha humildad también nos impulsará a orarle con toda sinceridad y a no hacerlo mecánicamente ni repetir siempre lo mismo (Mateo 6:7, 8).

⁸ Otra condición para que Dios nos escuche es que hagamos todo lo posible por actuar de acuerdo con nuestras oraciones. Por ejemplo, si le pedimos a Jehová "nuestro pan para este día", debemos trabajar duro en cualquier empleo que hallemos, siempre y cuando podamos realizarlo (Mateo 6:11; 2 Tesalonicenses 3:10). Igualmente, si le rogamos que nos ayude a vencer una debilidad, tenemos que evitar situaciones que pudieran someternos a una tentación (Colosenses 3:5). Pero además de conocer estas condiciones básicas para orar a Dios, necesitamos saber la respuesta a algunas preguntas sobre la oración.

PREGUNTAS SOBRE LA ORACIÓN

⁹ *¿A quién debemos orar?* Jesús enseñó a sus discípulos a orar así: "Padre nuestro que estás en los cielos" (Mateo 6:9). Por lo tanto, debemos dirigir nuestras oraciones únicamente a Jehová Dios. Sin embargo, él quiere que reconozcamos la posición que ocupa su Hijo unigénito, Jesucristo. Como vimos en el capítulo 5, Jehová envió a Jesús a la Tierra para que fuera el rescate que nos liberara del pecado y la muerte (Juan 3:16; Romanos 5:12). Además, lo nombró Sumo Sacerdote y Juez (Juan 5:22; Hebreos 6:20). Por eso, las Escrituras nos dicen que oremos mediante Jesús. Él mismo dijo: "Yo soy el camino y la verdad y la vida. Nadie viene al Padre sino por mí" (Juan 14:6). Para

---

8. ¿Cómo podemos actuar de acuerdo con nuestras oraciones?
9. ¿A quién debemos dirigir las oraciones, y por medio de quién?

que nuestras oraciones sean escuchadas, deben ir *dirigidas* únicamente a Jehová *por medio de* su Hijo.

¹⁰ *¿Hay que adoptar una postura especial?* No. Jehová no nos pide que pongamos de cierta manera las manos o el cuerpo entero. La Biblia enseña que hay varias posturas adecuadas para orar. Por ejemplo, la persona puede estar sentada, inclinada, arrodillada o de pie (1 Crónicas 17:16; Nehemías 8:6; Daniel 6:10; Marcos 11:25). Lo que de verdad importa no es adoptar una postura para que nos vean, sino tener la debida actitud. De hecho, podemos orar en silencio y en cualquier lugar, tanto si estamos realizando nuestras labores habituales como si surge una emergencia. Puede que nadie se dé cuenta de que estamos orando, pero Jehová sí nos escucha (Nehemías 2:1-6).

¹¹ *¿Qué asuntos podemos mencionar en nuestras oraciones?* La Biblia responde: "No importa [...] lo que pidamos", siempre que sea "conforme a su voluntad, [Jehová] nos oye" (1 Juan 5:14). Así que podemos incluir cualquier asunto que esté de acuerdo con la voluntad de Dios. Por ejemplo, ¿desea él que le contemos nuestras preocupaciones? ¡Claro que sí! Orar a Jehová es como hablar con un amigo íntimo. Podemos 'derramarle nuestro corazón', es decir, expresarle con toda confianza lo que sentimos (Salmo 62:8). También es apropiado pedirle que nos ayude con su espíritu santo a hacer lo que está bien (Lucas 11:13). Además, le rogamos que nos guíe para tomar buenas decisiones y que nos dé fuerzas para aguantar las dificultades (Santiago 1:5). Cuando pecamos, debemos suplicarle que nos perdone, teniendo en cuenta nuestra fe en el sacrificio de Cristo (Efesios 1:3, 7). Pero no oremos solo por nosotros, sino también por otras personas, como nuestros

---

10. ¿Por qué no es necesario adoptar una postura especial para orar?
11. ¿Qué asuntos personales podemos mencionar en nuestras oraciones?

familiares o hermanos cristianos (Hechos 12:5; Colosenses 4:12).

¹² En nuestras oraciones debemos dar la máxima importancia a las cuestiones relacionadas con Jehová Dios. Tenemos razones de sobra para alabarlo y darle gracias de todo corazón por su gran bondad (1 Crónicas 29:10-13). En Mateo 6:9-13 encontramos la oración que Jesús dio como modelo. En ella se nos enseña a pedir que se santifique el nombre de Dios, es decir, que se trate como algo santo o sagrado. A continuación se pide que venga el Reino de Dios y que se haga la voluntad divina en la Tierra como se hace en el cielo. Notemos que Jesús incluye los asuntos personales después de mencionar estas cuestiones importantes relacionadas con Jehová. Si nosotros también dejamos que Dios ocupe el lugar más importante en nuestras oraciones, demostraremos que no estamos interesados solo en nuestro bienestar.

¹³ *¿Cuánto deben durar nuestras oraciones?* La Biblia no pone límites a la duración de las oraciones, sean privadas o públicas. Pueden ser cortas, como las que hacemos antes de comer, o largas, como cuando le abrimos el corazón a Jehová en privado (1 Samuel 1:12, 15). No obstante, Jesús condenó a los santurrones que hacían oraciones interminables para llamar la atención (Lucas 20:46, 47). Eso no impresiona a Jehová. Lo importante es orar con sinceridad. Por lo tanto, la duración de las oraciones dependerá de las necesidades y las circunstancias.

¹⁴ *¿Con qué frecuencia debemos orar?* La Biblia nos dice: "Oren de continuo", "perseveren en la oración" y "oren

---

12. ¿Cómo lograremos que las cuestiones relacionadas con nuestro Padre celestial sean lo más importante en nuestras oraciones?
13. ¿Qué indican las Escrituras sobre cuánto deben durar las oraciones?
14. Indique qué significa la frase bíblica "oren de continuo" y de qué bendición disfrutamos.

incesantemente" (Mateo 26:41; Romanos 12:12; 1 Tesalonicenses 5:17). Eso no quiere decir que vamos a pasar las veinticuatro horas orando. Significa, más bien, que todos los días debemos ofrecer oraciones a Jehová para darle gracias por su bondad y para pedirle que nos guíe, consuele y dé fuerzas. ¡Qué bendición! Jehová nos permite orarle todas las veces que queramos y por tanto tiempo como deseemos. Si valoramos el privilegio de hablar con nuestro Padre celestial, encontraremos muchas ocasiones para hacerlo.

[15] *¿Por qué deberíamos terminar diciendo "amén"?* Esa palabra significa "así sea", "ciertamente". Hay ejemplos bíblicos que muestran que es conveniente finalizar las oraciones personales y públicas diciendo "amén" (1 Crónicas 16:36; Salmo 41:13). Cuando decimos "amén" en privado, confirmamos que nuestras palabras han sido sinceras. Cuando lo decimos en público (sea en silencio o en voz alta), manifestamos que estamos de acuerdo con lo que se ha expresado (1 Corintios 14:16).

¿CÓMO RESPONDE DIOS NUESTRAS ORACIONES?

[16] ¿De verdad responde Jehová nuestras oraciones? ¡Por supuesto que sí! Tenemos buenas razones para confiar en que el "Oidor de la oración" contesta las oraciones sinceras que le hacemos millones de personas (Salmo 65:2). Y su respuesta puede llegarnos de varias maneras.

[17] Por ejemplo, para contestar las oraciones, Jehová utiliza a sus ángeles y a los seres humanos que le sirven (Hebreos 1:13, 14). Muchas personas que han orado pidiendo

---

15. ¿Por qué deberíamos finalizar las oraciones personales y públicas diciendo "amén"?
16. ¿En qué podemos confiar cuando oramos a Dios?
17. ¿Por qué puede decirse que Dios utiliza tanto a los ángeles como a los seres humanos para contestar las oraciones?

ayuda para entender la Biblia han recibido poco después la visita de un siervo de Jehová. Tales experiencias indican que los ángeles dirigen la predicación del Reino (Revelación [Apocalipsis] 14:6). Por otra parte, cuando nos encontramos en un momento de necesidad, Jehová puede contestar nuestras oraciones impulsando a un cristiano a que nos ayude (Proverbios 12:25; Santiago 2:16).

¹⁸ Jehová Dios también responde las oraciones de sus

18. ¿Cómo utiliza Jehová su espíritu santo y su Palabra para responder las oraciones de sus siervos?

Dios escucha las oraciones que le dirigimos en cualquier ocasión

Jehová puede responder nuestras oraciones impulsando a un cristiano a que nos ayude

siervos mediante su espíritu santo y su Palabra, la Biblia. Cuando le pedimos ayuda para superar algún problema, él puede guiarnos y fortalecernos con su espíritu santo (2 Corintios 4:7). Y cuando le oramos para tomar buenas decisiones, muchas veces nos contesta mediante las Santas Escrituras. Tal vez encontremos versículos útiles durante nuestro estudio personal de la Biblia o al leer publicaciones cristianas, como este libro. Además, es posible que se nos recuerden los principios bíblicos que debemos tener en cuenta. Esto pudiera ocurrir, por ejemplo, cuando asistimos a una reunión cristiana o cuando nos aconseja un anciano de la congregación que se preocupa por nosotros (Gálatas 6:1).

¹⁹ A veces pudiera parecernos que Jehová tarda en contestar nuestras súplicas, pero eso no quiere decir que no pueda responderlas. Recordemos que Jehová nos contestará de la manera y en el momento que él crea convenientes. Él conoce bien nuestras necesidades y sabe cómo satisfacerlas mejor que nosotros mismos. Muchas veces deja que sigamos "pidiendo", "buscando" y "tocando"

19. ¿Qué debemos tener presente si a veces nos parece que Dios no contesta nuestras súplicas?

(Lucas 11:5-10). Si así lo hacemos, le demostraremos que nuestro deseo es intenso y nuestra fe es auténtica. Además, tal vez Jehová nos conteste de una forma que no resulte evidente para nosotros. Por ejemplo, si le oramos porque se nos ha presentado cierta dificultad, es posible que en vez de eliminarla, nos dé las fuerzas para aguantarla (Filipenses 4:13).

[20] Estamos muy agradecidos al Creador del inmenso universo, pues está cerca de todos los que lo invocamos orándole como él desea (Salmo 145:18). Aprovechemos bien el gran privilegio de la oración. Si lo hacemos, tendremos la satisfacción de saber que podremos acercarnos cada vez más a Jehová, el Oidor de la oración.

---

20. ¿Por qué debemos aprovechar bien el gran privilegio de la oración?

LO QUE LA BIBLIA ENSEÑA

- Si oramos regularmente a Jehová, nos acercaremos más a él (Santiago 4:8).

- Para que Dios nos escuche, debemos orar con fe, humildad y sinceridad (Marcos 11:24).

- Debemos orar únicamente a Jehová por medio de su Hijo (Mateo 6:9; Juan 14:6).

- Jehová, el "Oidor de la oración", contesta las oraciones mediante sus ángeles, los seres humanos que le sirven, su espíritu santo y su Palabra (Salmo 65:2).

CAPÍTULO 18

El bautismo
y nuestra relación con Dios

¿Cómo se realiza el bautismo cristiano?

¿Qué pasos debe dar usted
para poder bautizarse?

¿Cómo se dedica alguien a Dios?

¿Cuál es la principal razón
para querer bautizarse?

"¡MIRA! Agua; ¿qué impide que yo sea bautizado?", dijo un funcionario de la corte de Etiopía del siglo primero. Un cristiano llamado Felipe le acababa de demostrar con las Escrituras que Jesús era el Mesías prometido. Al funcio-

---

1. ¿Por qué pidió un funcionario de Etiopía ser bautizado?

nario le impresionó tanto lo que había aprendido que pidió ser bautizado (Hechos 8:26-36).

² Si ha estudiado con detenimiento los anteriores capítulos de este libro con un testigo de Jehová, puede que usted también se sienta preparado para preguntar: "¿Qué impide que *yo* sea bautizado?". Ya ha aprendido que la Biblia promete que los seres humanos vivirán para siempre en el Paraíso (Lucas 23:43; Revelación [Apocalipsis] 21:3, 4). También conoce el verdadero estado en que se encuentran los muertos y la esperanza de la resurrección (Eclesiastés 9:5; Juan 5:28, 29). Probablemente lleva algún tiempo asistiendo a las reuniones de una congregación de los testigos de Jehová y ha visto que ellos practican la religión verdadera (Juan 13:35). Y más importante aún, es muy probable que haya comenzado a cultivar una relación personal con Jehová Dios.

³ ¿Cómo puede demostrar que desea servir a Dios? Jesús mandó a sus seguidores: "Vayan [...] y hagan discípulos de gente de todas las naciones, *bautizándolos*" (Mateo 28:19). El propio Jesús nos dio el ejemplo, pues él también se bautizó. Pero no lo rociaron con agua ni derramaron agua sobre su cabeza (Mateo 3:16). El verbo *bautizar* viene de una palabra griega que significa "sumergir". Por lo tanto, el bautismo cristiano se realiza sumergiendo completamente a la persona en agua.

⁴ Todos los que quieran tener una buena relación con Jehová tienen que bautizarse. Cuando uno se bautiza, demuestra públicamente que desea servir a Dios y que disfruta haciendo la voluntad de él (Salmo 40:7, 8). No obstante, para poder bautizarse hay que dar varios pasos.

---

2. ¿Por qué debería pensar seriamente en el bautismo?
3. a) ¿Qué mandato dio Jesús a sus seguidores? b) ¿Cómo se efectúa el bautismo cristiano?
4. ¿Qué demuestra uno cuando se bautiza?

SE NECESITA CONOCIMIENTO Y FE

[5] Usted ya ha comenzado a dar el primer paso. ¿Cómo? Adquiriendo *conocimiento* sobre Jehová Dios y Jesucristo, probablemente con un curso de estudio de la Biblia (Juan 17:3). Pero aún puede aprender más. Los cristianos desean que Dios "les llene del conocimiento exacto de su voluntad" (Colosenses 1:9). Las reuniones de los testigos de Jehová le pueden ayudar muchísimo en este sentido. Por eso es importante que no se las pierda (Hebreos 10:24, 25). Si asiste a las reuniones regularmente, aumentará su conocimiento de Dios.

[6] Está claro que para poder bautizarse no tiene que aprenderse toda la Biblia. Sin embargo, recuerde que aunque el funcionario etíope tenía *algunos* conocimientos, necesitó que lo ayudaran a entender ciertas partes de las Escrituras (Hechos 8:30, 31). De igual modo, a usted aún le queda mucho por aprender. De hecho, jamás dejará de aprender cosas acerca de Dios (Eclesiastés 3:11). No obstante, para poder bautizarse debe conocer y aceptar al menos las enseñanzas básicas de la Biblia (Hebreos 5:12). Debe saber, por ejemplo, en qué estado se encuentran los muertos y qué importancia tiene el nombre de Dios y su Reino.

[7] Sin embargo, no basta solo con el conocimiento, pues "sin fe es imposible" ser del "agrado [de Dios]" (Hebreos 11:6). La Biblia cuenta lo que hicieron algunos habitantes de la antigua ciudad de Corinto: cuando escucharon lo que predicaban los cristianos, "empezaron a creer y a bautizarse" (Hechos 18:8). Es de esperar que ocurra algo parecido en su caso. Al estudiar la Biblia, usted debería llegar a tener *fe* plena en que es la Palabra inspirada de Dios. También

---

5. a) ¿Cuál es el primer paso para poder bautizarse? b) ¿Por qué son importantes las reuniones cristianas?
6. ¿Cuánto debe saber de la Biblia para poder bautizarse?
7. Al estudiar la Biblia, ¿qué debería llegar a tener usted?

debería llegar a tener fe en que Dios cumplirá sus promesas y en que puede salvarlo gracias al sacrificio de Jesús (Josué 23:14; Hechos 4:12; 2 Timoteo 3:16, 17).

HABLE DE LAS VERDADES DE LA BIBLIA

[8] Cuanto más profunda sea su fe, más trabajo le costará callarse lo que ha aprendido (Jeremías 20:9). Verá cómo se siente impulsado a hablar de Dios y sus propósitos (2 Corintios 4:13).

[9] Para empezar, pudiera explicar con tacto algunas verdades bíblicas a sus familiares, amigos, vecinos y compañeros de trabajo. Con el tiempo, es muy probable que quiera participar en la predicación que realizan organizadamente los testigos de Jehová. Cuando llegue ese momento, hable con toda confianza con el Testigo que le está enseñando la Biblia. Si él cree que usted reúne los requisitos para predicar públicamente, se harán los planes oportunos para que ustedes dos se reúnan con dos ancianos de la congregación.

[10] Así conocerá mejor a algunos ancianos cristianos, los pastores del rebaño de Dios (Hechos 20:28; 1 Pedro 5:2, 3). Ellos se fijarán en si usted comprende las enseñanzas básicas de la Biblia y cree en ellas, si está viviendo de acuerdo con los principios divinos y si desea sinceramente ser testigo de Jehová. Si así es, le harán saber que reúne los requisitos para ser publicador no bautizado de las buenas nuevas, lo que le permitirá predicar públicamente.

[11] Por otra parte, a veces los ancianos observan que la persona debe hacer ciertos cambios en su vida para poder predicar públicamente. Por ejemplo, tal vez tenga que

---

8. ¿Qué lo impulsará a hablar de lo que ha aprendido?
9, 10. a) ¿A quiénes podría comenzar a hablar de las verdades bíblicas? b) ¿Qué debe hacer si quiere participar en la predicación que realizan organizadamente los testigos de Jehová?
11. ¿Qué cambios tal vez tengan que hacer algunas personas antes de poder predicar públicamente?

dejar alguna práctica que haya mantenido en secreto. Por eso, antes de pedir que se le nombre publicador no bautizado, es necesario que usted lleve una vida libre de pecados graves, como la inmoralidad sexual, la borrachera y el consumo de drogas (1 Corintios 6:9, 10; Gálatas 5:19-21).

ARREPENTIMIENTO Y CONVERSIÓN

[12] Para poder bautizarse, usted debe dar más pasos. El apóstol Pedro dijo: "Arrepiéntanse [...] y vuélvanse para que sean borrados sus pecados" (Hechos 3:19). Cuando alguien se arrepiente de verdad, lamenta sinceramente lo que ha hecho. Pero no son solo las personas que han llevado una vida inmoral las que deben mostrar *arrepentimiento,* sino también las que han llevado una vida relativamente limpia. ¿Por qué? Porque todos los seres humanos somos pecadores y necesitamos el perdón de Dios (Romanos 3:23; 5:12). Antes de estudiar la Biblia, usted no sabía cuál era la voluntad de Dios. Por tanto, no podía llevar una vida que estuviera totalmente de acuerdo con dicha voluntad, ¿no es cierto? Como ve, es necesario arrepentirse.

[13] Después del arrepentimiento viene la *conversión.* Cuando usted se convierte, 'se vuelve' del camino que ha seguido. En otras palabras, no solo lamenta lo que ha hecho, sino que abandona su estilo de vida anterior. Debe estar totalmente decidido a hacer lo que está bien a partir de ese momento. El arrepentimiento y la conversión son dos pasos que deben darse antes del bautismo.

DEDICACIÓN PERSONAL A DIOS

[14] Hay otro paso importante que debe dar antes del bautismo: *dedicarse* a Jehová Dios.

---

12. ¿Por qué es necesario arrepentirse?
13. ¿Qué es la conversión?
14. ¿Qué otro paso importante debe dar antes del bautismo?

¹⁵ La dedicación consiste en una oración sincera en la que uno le promete a Jehová que siempre le dará devoción solo a él (Deuteronomio 6:15). Pero ¿por qué querría alguien hacer un compromiso de esa clase? Pues bien, supongamos que un hombre le dice a una mujer que quiere conocerla mejor. Cuanto más la trata y más observa sus buenas cualidades, más atraído se siente hacia ella. Lo normal es que llegue un momento en que le proponga matrimonio. Claro, al casarse tendrá más responsabilidades. Pero el amor que siente por ella lo impulsará a dar ese paso tan importante.

¹⁶ Cuando llegamos a conocer y amar a Jehová, nos sentimos impulsados a servirle sin reservas, sin poner límites a nuestra adoración. La persona que desee seguir al Hijo de Dios, Jesucristo, tiene que 'repudiarse a sí misma' (Marcos 8:34). Nos repudiamos cuando nunca dejamos que nuestros propios deseos y metas nos impidan obedecer a Dios. Así pues, antes de bautizarse, usted debe haberse puesto como principal objetivo en su vida hacer la voluntad de Jehová (1 Pedro 4:2).

CÓMO SUPERAR EL MIEDO AL FRACASO

¹⁷ Algunas personas no se deciden a dedicarse a Jehová porque temen dar un paso tan serio. Quizá les asuste la idea de que tengan que rendir cuentas a Dios como cristianos dedicados. Piensan que tal vez pudieran cometer algún error que decepcione a Jehová y que por eso es mejor no dedicarse a él.

¹⁸ Cuando se profundice el amor que usted siente por Jehová, se sentirá impulsado a dedicarse a él y a esforzarse al máximo por cumplir con su dedicación (Eclesiastés

---

15, 16. ¿Qué significa dedicarse a Dios, y qué nos impulsará a hacerlo?
17. ¿Por qué no se deciden algunos a dedicarse a Dios?
18. ¿Qué lo impulsará a dedicarse a Jehová?

Un paso importante para poder bautizarse es adquirir conocimiento exacto de la Palabra de Dios

La fe debería impulsarle a hablar de sus creencias

5:4). Después de dedicarse, sin duda querrá andar "de una manera digna de Jehová a fin de [agradarle] plenamente" (Colosenses 1:10). El amor a Dios hará que no le parezca muy difícil cumplir con su voluntad. Lo más probable es que esté de acuerdo con estas palabras del apóstol Juan: "Esto es lo que el amor de Dios significa: que observemos sus mandamientos; y, sin embargo, sus mandamientos no son gravosos", es decir, no son una carga (1 Juan 5:3).

¹⁹ Dios no exige que la persona que se dedique a él sea perfecta. Jehová conoce nuestras limitaciones y nunca espera que hagamos más de lo que podemos (Salmo 103:14).

---

19. ¿Por qué no debe tener miedo de dedicarse a Dios?

Él le dará a usted todo su apoyo, pues quiere que le vaya bien en la vida (Isaías 41:10). Puede estar seguro de que si confía en Jehová con todo su corazón, él "hará derechas [sus] sendas" (Proverbios 3:5, 6).

SIMBOLICE SU DEDICACIÓN BAUTIZÁNDOSE

[20] Al pensar en lo que hemos analizado, tal vez decida dedicarse a Jehová en privado mediante una oración. Pero todos los que aman realmente a Dios deben dar un paso

20. Después de dedicarse a Jehová, ¿por qué no debe seguir siendo su dedicación un asunto privado?

¿Ha hecho una oración para dedicarse a Dios?

El bautismo indica que "morimos", es decir, que abandonamos nuestro estilo de vida anterior, y comenzamos a vivir para hacer la voluntad de Dios

más: tienen que presentar "declaración pública para salvación" (Romanos 10:10). ¿Cómo se hace eso?

²¹ Dígale al coordinador del cuerpo de ancianos de su congregación que desea bautizarse. Él se encargará de que varios ancianos repasen con usted una serie de preguntas sobre las enseñanzas básicas de la Biblia. Si estos ancianos ven que reúne los requisitos para bautizarse, le dirán que puede hacerlo en la próxima asamblea.* Cuando se realizan los bautismos, suele pronunciarse un discurso en el que se explica el significado de este paso. Al final de dicho discurso, el orador hace dos preguntas sencillas a los candidatos al bautismo, y estos las contestan en voz alta. Esta es una manera de hacer "declaración pública" de la fe.

²² El bautismo es el paso que indica públicamente que usted se ha dedicado a Dios y ha pasado a ser testigo de Jehová. A los candidatos al bautismo se les sumerge por completo en agua para mostrar ante todos que se han dedicado a Jehová.

EL SIGNIFICADO DE SU BAUTISMO

²³ Jesús dijo que sus discípulos se bautizarían "en el nombre del Padre y del Hijo y del espíritu santo" (Mateo 28:19). Esto significa que los que se van a bautizar reconocen la autoridad de Jehová Dios y Jesucristo (Salmo 83:18; Mateo 28:18). También reconocen la función del espíritu santo de Dios, es decir, de su fuerza activa (Gálatas 5:22, 23; 2 Pedro 1:21).

²⁴ Bautizarse es algo más que sumergirse en agua. Es un

---

* Normalmente, los bautismos tienen lugar en las diversas asambleas que celebran todos los años los testigos de Jehová.

21, 22. ¿De qué maneras puede usted hacer "declaración pública" de su fe?

23. ¿Qué significa bautizarse "en el nombre del Padre y del Hijo y del espíritu santo"?

24, 25. a) ¿Qué simboliza el bautismo? b) ¿Qué pregunta hay que contestar?

acto simbólico muy importante. El hecho de que usted se sumerja simbolizará que "muere", es decir, que abandona su estilo de vida anterior. Y el que salga del agua indicará que a partir de ese momento vive para hacer la voluntad de Dios. Nunca deberá olvidar que se ha dedicado al propio Jehová Dios, y no a una obra, una causa, un ser humano o una organización. Su dedicación y su bautismo son el comienzo de una amistad íntima con Dios, de una estrecha relación con él (Salmo 25:14).

²⁵ Pero el bautismo no garantiza la salvación. El apóstol Pablo escribió: "Sigan obrando su propia salvación con temor y temblor" (Filipenses 2:12). El bautismo es solo el comienzo. Ahora bien, surge la pregunta: ¿cómo podemos seguir unidos a Dios y permanecer en su amor? El último capítulo de este libro da la respuesta.

LO QUE LA BIBLIA ENSEÑA

- El bautismo cristiano no se realiza rociando a la persona con agua, sino sumergiéndola completamente en agua (Mateo 3:16).

- Para bautizarse, primero hay que adquirir conocimiento y mostrar fe, y luego arrepentirse, convertirse y dedicarse a Dios (Juan 17:3; Hechos 3:19; 18:8).

- Para dedicarse a Jehová, uno debe repudiarse a sí mismo, como hicieron los primeros seguidores de Jesús (Marcos 8:34).

- El bautismo simboliza que la persona "muere", es decir, que abandona su estilo de vida anterior, y que a partir de ese momento vive para hacer la voluntad de Dios (1 Pedro 4:2).

CAPÍTULO 19

Permanezca en el amor de Dios

¿Qué significa amar a Dios?

¿Cómo podemos permanecer en el amor de Dios?

¿Cómo recompensará Jehová a los que permanecen en su amor?

¿Se refugiará usted en Jehová en estos tiempos peligrosos?

IMAGÍNESE que mientras da un paseo, el cielo se va cubriendo de nubarrones. De repente varios relámpagos iluminan el cielo, y comienza a tronar y a llover a cántaros. Usted sale corriendo en busca de un sitio donde refugiarse. Entonces ve que, junto al camino, hay un cobertizo. Está seco y parece resistente. ¡Cuánto se alegra de haberlo encontrado!

² Hoy vivimos en tiempos tormentosos y llenos de peligros, pues el mundo va de mal en peor. Pero existe un refugio seguro, un refugio que nos protegerá de cualquier daño permanente. ¿Cuál es? Fíjese en lo que dice la Biblia: "Ciertamente diré a Jehová: 'Tú eres mi refugio y mi plaza fuerte, mi Dios, en quien de veras confiaré'" (Salmo 91:2).

³ Jehová, el Creador y Soberano del universo, puede ser nuestro refugio. ¡Qué gran bendición! Él es mucho más poderoso que cualquier persona o cosa que nos amenace. Y aunque se nos lastime, Jehová puede reparar todo el daño que recibamos. ¿Cómo

1, 2. ¿Dónde podemos hallar un refugio seguro?
3. ¿Cómo haremos de Jehová nuestro refugio?

haremos de Jehová nuestro refugio? Confiando en él. Además, la Biblia nos hace esta invitación: "Manténganse en el amor de Dios" (Judas 21). Así es, tenemos que permanecer en el amor de Dios y seguir muy unidos a nuestro Padre celestial. Si así lo hacemos, podemos estar seguros de que él será nuestro refugio. Pero ¿cómo conseguiremos tener una relación tan afectuosa con el Creador?

REFLEXIONE EN EL AMOR
QUE DIOS LE TIENE Y CORRESPÓNDALE

[4] Jehová nos ha demostrado su amor de diversas maneras. Veamos cuáles son, pues repasarlas nos ayudará a permanecer en el amor de Dios. Piense en algunas enseñanzas bíblicas que ha aprendido en este libro. Por ejemplo, para que disfrutemos de la vida, el Creador nos ha dado un extraordinario hogar, la Tierra, donde hay abundancia de alimento, agua, recursos naturales, animales fascinantes y paisajes hermosos. También sabemos que Dios es el Autor de la Biblia, en la cual nos dice cómo se llama y qué cualidades tiene. Las Escrituras explican que él envió a su querido Hijo a la Tierra y que permitió que sufriera y muriera por nosotros (Juan 3: 16). De este modo nos hizo un regalo muy generoso, gracias al cual tenemos la esperanza de un magnífico futuro.

[5] Este futuro también depende de algo más que Dios ha hecho. Jehová ha establecido un gobierno celestial, el Reino mesiánico. Este Reino pronto acabará con todos nuestros sufrimientos y convertirá la Tierra en un paraíso. ¡Qué maravilla! ¡Por fin seremos felices y viviremos para siempre en paz! (Salmo 37:29.) Y ahora, mientras esperamos ese día, los consejos de Dios nos ayudan a vivir del mejor modo posible. Jehová también nos ha dado otro regalo: la oración, la cual nos permite comunicarnos libremente con él. Estas son tan solo unas cuantas pruebas del amor que Dios siente por usted y por el resto de la humanidad.

4, 5. ¿Cuáles son algunas pruebas del amor que Dios nos tiene?

⁶ Ahora, usted debe hacerse una pregunta importante: "¿Cómo responderé yo al amor de Jehová?". Probablemente, muchas personas contesten: "Amando a Jehová". ¿Piensa usted así? Jesús dijo que el mayor mandamiento es este: "Tienes que amar a Jehová tu Dios con todo tu corazón y con toda tu alma y con toda tu mente" (Mateo 22:37). Sin duda, usted tiene muchas razones para amar a Jehová. Ahora bien, para amar a Dios con todo el corazón, alma y mente, ¿basta con *tenerle afecto*?

⁷ La Biblia muestra que amar a Dios significa mucho más que sentir afecto por él. De hecho, aunque ese sentimiento es muy importante, es tan solo el comienzo del verdadero amor a Dios. Para entenderlo mejor, veamos la siguiente comparación: si usted quisiera una manzana, ¿se conformaría con que le dieran una semilla de esa fruta? Claro que no. Es cierto que la semilla es esencial para que crezca un manzano, pero lo que usted quiere es el fruto. Lo mismo ocurre con el afecto que sentimos por Jehová: al igual que la semilla, tiene que desarrollarse y dar fruto. La Biblia enseña: "Esto es lo que el amor de Dios significa: que observemos sus mandamientos; y, sin embargo, sus mandamientos no son gravosos", es decir, no son una carga (1 Juan 5:3). Así, el verdadero amor a Dios debe producir buenos frutos, debe expresarse con hechos (Mateo 7:16-20).

⁸ Demostramos que amamos a Dios cuando obedecemos sus mandamientos y ponemos en práctica sus principios. Eso no es muy difícil, pues las leyes de Jehová no son una

_____

6. ¿Cómo pudiera usted responder al amor que Dios le ha mostrado?
7. Para amar a Dios, ¿basta con sentir afecto por él? Explique por qué responde así.
8, 9. ¿Cómo demostramos que amamos a Dios y que agradecemos lo que él ha hecho por nosotros?

carga. Al contrario, están pensadas para que seamos felices y disfrutemos de la vida (Isaías 48:17, 18). Cuando dejamos que Jehová nos guíe, demostramos que agradecemos mucho todo lo que él ha hecho por nosotros. Es una pena que tan poca gente tenga esa actitud. Nosotros no queremos ser desagradecidos, como algunas personas del tiempo de Jesús. En cierta ocasión, Cristo curó a diez leprosos, pero *solo uno* fue a darle las gracias (Lucas 17:12-17). Seguramente queremos ser como esa persona, y no como las otras nueve, que no mostraron el menor agradecimiento.

⁹ Entonces, ¿qué mandamientos de Jehová debemos obedecer? Algunos se han explicado en este libro. Pero repasemos unos cuantos, pues si obedecemos los mandatos de Dios, nos será más fácil permanecer en su amor.

ACÉRQUESE CADA VEZ MÁS A JEHOVÁ

¹⁰ Conocer bien a Jehová es un paso importantísimo para acercarnos más a él. Es un proceso que nunca

10. ¿Por qué es importante seguir adquiriendo conocimiento de Jehová Dios?

El amor a Jehová es como un fuego: hay que alimentarlo para que no se apague

debería terminar. Imagínese que se encuentra en el monte, en una noche muy fría, y que ha encendido una fogata para calentarse. ¿Dejaría que las llamas se fueran apagando poco a poco? De ningún modo. Seguro que iría añadiendo leña para que el fuego siguiera ardiendo, ya que de ello depende su propia vida. Pues bien, tal como la leña alimenta el fuego, el "conocimiento de Dios" mantiene vivo el amor que sentimos por Jehová (Proverbios 2:1-5).

[11] Jesús quería que sus seguidores mantuvieran muy vivo su amor por Jehová y por su maravillosa Palabra de verdad. Después de resucitar les explicó a dos discípulos suyos algunas profecías de las Escrituras Hebreas que él había cumplido. ¿Qué efecto tuvo aquello? Más tarde, los discípulos dijeron: "¿No nos ardía el corazón cuando él venía hablándonos por el camino, cuando nos estaba abriendo por completo [el sentido de] las Escrituras?" (Lucas 24:32).

[12] Cuando usted iba aprendiendo lo que enseña realmente la Biblia, ¿verdad que también le ardía el corazón, lleno de alegría, entusiasmo y amor a Dios? Seguro que sí. A muchos les ha pasado lo mismo. Lo difícil ahora es mantener vivo ese amor y lograr que crezca. No queremos seguir la tendencia que Jesús predijo que habría en el mundo de hoy: "Se enfriará el amor de la mayor parte" (Mateo 24:12). ¿Cómo puede usted impedir que se enfríe el amor que siente por Jehová y por las verdades de la Biblia?

[13] Continúe adquiriendo conocimiento de Jehová Dios y de Jesucristo (Juan 17:3). Piense detenidamente en lo que lea en la Palabra de Dios y pregúntese: "¿Qué me enseña esto acerca de Jehová? ¿Me da alguna razón más para amarlo con todo el corazón, mente y alma?" (1 Timoteo 4:15). Si reflexiona de esta manera, su amor a Jehová jamás se apagará.

---

11. ¿Qué efecto tuvieron las enseñanzas de Jesús en sus discípulos?
12, 13. a) En el caso de la mayor parte de la humanidad, ¿qué ha pasado con el amor a Dios y a la Biblia? b) ¿Cómo podemos impedir que se apague nuestro amor?

¹⁴ Otra manera de mantener vivo el amor a Jehová es orando con regularidad (1 Tesalonicenses 5:17). En el capítulo 17 aprendimos que la oración es un valioso regalo de Dios. Las relaciones con nuestros semejantes se estrechan al comunicarnos con ellos con frecuencia y de forma sincera. De igual modo, nuestra relación con Jehová seguirá viva si le oramos constantemente. Debemos esforzarnos por no hacer oraciones mecánicas; no queremos repetir siempre lo mismo sin pensar en lo que decimos. Debemos hablarle a Jehová como hablaría un niño con su amado padre. Claro está, queremos dirigirnos a él con respeto, pero abierta y sinceramente, desde el corazón (Salmo 62:8). Así es, para adorar a Dios es muy importante que tengamos un estudio personal de la Biblia y que le oremos con franqueza. De este modo será más fácil que permanezcamos en el amor de Dios.

ADORAR A DIOS PRODUCE GOZO

¹⁵ El estudio de la Biblia y la oración son formas de adorar a Dios que generalmente realizamos a solas. Hablemos ahora de algo que realizamos cuando estamos con otras personas: conversar sobre lo que creemos. ¿Ha hablado usted ya con alguien sobre las enseñanzas de la Biblia? En ese caso, ha disfrutado de un privilegio maravilloso (Lucas 1:74). Cuando hablamos de lo que hemos aprendido acerca de Jehová Dios, cumplimos una misión muy importante que han recibido todos los cristianos verdaderos: predicar las buenas nuevas del Reino de Dios (Mateo 24:14; 28:19, 20).

¹⁶ El apóstol Pablo estimaba tanto la labor de predicar que dijo que era un tesoro (2 Corintios 4:7). Hablar de Jehová y sus propósitos es el mejor trabajo que hay. Por un lado, se hace para servir al mejor Amo, y por otro, da los mejores

14. ¿Por qué es importante orar para mantener vivo nuestro amor a Jehová?
15, 16. ¿Por qué debemos ver la predicación del Reino como un privilegio y un tesoro?

beneficios. Cuando predicamos, ayudamos a las personas sinceras a acercarse a nuestro Padre celestial y a entrar en el camino que lleva a la vida eterna. ¿Podría otra labor producir más satisfacción? Además, al dar testimonio de Jehová y su Palabra, crecen nuestra propia fe y nuestro amor a

Jehová quiere que usted disfrute de "la vida de verdad". Y usted, ¿lo logrará?

Dios. Y Jehová valora los esfuerzos que hacemos (Hebreos 6:10). Como vemos, mantenernos activos en esta obra nos ayuda a permanecer en el amor de Dios (1 Corintios 15:58).

¹⁷ Es importante recordar que la predicación del Reino es una obra urgente. La Biblia dice: "Predica la palabra, ocúpate en ello urgentemente" (2 Timoteo 4:2). ¿Por qué es esta obra tan urgente hoy día? Por lo que nos dice la Palabra de Dios: "El gran día de Jehová está cerca. Está cerca, y hay un apresurarse muchísimo de él" (Sofonías 1:14). Así es, se aproxima rápidamente el día en el que Jehová destruirá a todo este sistema de cosas. ¡La gente tiene que saberlo! Tiene que entender que ahora es el momento de obedecer a Jehová como su Soberano, pues el fin "no llegará tarde" (Habacuc 2:3).

¹⁸ Jehová quiere que lo adoremos públicamente junto con los cristianos verdaderos. Por eso, su Palabra dice: "Consideremos cómo estimularnos unos a otros al amor y a las buenas obras. No dejemos de reunirnos, como acostumbran algunos, sino animémonos unos a otros, y mucho más al ver que el día se acerca" (Hebreos 10:24, 25, *Nueva Versión Internacional*, 1990). Cuando asistimos a las reuniones cristianas con nuestros hermanos en la fe, tenemos una oportunidad magnífica de alabar y adorar a nuestro querido Dios. También nos fortalecemos y nos animamos unos a otros.

¹⁹ Cuando nos reunimos con otros siervos de Jehová, estrechamos los lazos de amor y amistad en la congregación. Es importante fijarse en las buenas cualidades de los demás, tal como Jehová se fija en las nuestras. No espere que sus hermanos espirituales sean perfectos. Recuerde que todos cometemos errores y que cada uno progresa espiritualmente a un ritmo distinto (Colosenses 3:13). Busque la amistad

---

17. ¿Por qué es la predicación una obra urgente?
18. ¿Por qué debemos adorar a Jehová públicamente junto con los cristianos verdaderos?
19. ¿Qué podemos hacer para fortalecer los lazos de amor en la congregación cristiana?

de quienes aman a Jehová con todas sus fuerzas, y verá cómo crece su espiritualidad. Si adora a Jehová con sus hermanos y hermanas espirituales, le será más fácil permanecer en el amor de Dios. Veamos ahora cómo recompensa Jehová a quienes lo adoran fielmente y permanecen en su amor.

LUCHE POR "LA VIDA DE VERDAD"

[20] La recompensa que Jehová da a sus siervos fieles es la vida, pero ¿qué clase de vida? La mayoría de nosotros diría que ya estamos vivos, pues al fin y al cabo, respiramos, comemos y bebemos. En nuestros mejores momentos, incluso puede que digamos: "¡Esto sí que es vida!". Sin embargo, la Biblia indica que, en cierto sentido, hoy día ningún ser humano está *realmente* vivo.

[21] La Biblia anima a todos a "asirse firmemente de la vida que realmente lo es", o como dice el *Nuevo Testamento* de José María Valverde, a "adquirir la vida de verdad" (1 Timoteo 6:19). La expresión "la vida de verdad" se refiere a un tipo de vida que esperamos tener en el futuro. Cuando seamos perfectos, estaremos vivos en el pleno sentido de la palabra, pues viviremos tal como Dios quería en un principio. El día que estemos en el Paraíso terrestre disfrutando de salud, paz y felicidad completas, por fin tendremos "la vida de verdad", es decir, la vida eterna (1 Timoteo 6:12). Ciertamente, nos espera un futuro maravilloso, ¿no le parece?

[22] ¿Cómo puede alguien "adquirir la vida de verdad"? Antes de decir estas palabras, Pablo recomienda a los cristianos que "trabajen en lo bueno" y "sean ricos en obras excelentes" (1 Timoteo 6:18). Así, mucho depende de que pongamos en práctica lo que aprendimos en la Biblia. Pero ¿quiso decir Pablo que con las buenas obras nos *ganamos* "la vida de verdad"? No, pues ese magnífico futuro depende en reali-

20, 21. ¿Qué es "la vida de verdad", y por qué será maravilloso tenerla?
22. ¿Cómo puede usted "adquirir la vida de verdad"?

dad de "la bondad inmerecida" de Dios (Romanos 5:15). Sin embargo, a Jehová le complace recompensar a quienes le sirven fielmente. Él quiere que usted tenga "la vida de verdad", una vida eterna, feliz y pacífica. Esa es la vida que aguarda a todos los que permanecen en el amor de Dios.

²³ Cada uno de nosotros hace bien en preguntarse: "¿Estoy adorando a Dios como él manda en la Biblia?". Si nos aseguramos de que día tras día respondemos con un sí, vamos por buen camino. Podemos tener la seguridad de que Jehová es nuestro refugio. Él protegerá a su pueblo fiel durante los peligrosos últimos días de este viejo sistema de cosas. Además, nos introducirá en su glorioso nuevo mundo, que tan cerca está. ¡Qué emocionante será! ¡Cuánto nos alegraremos de haber tomado las decisiones acertadas en estos últimos días! Si usted toma buenas decisiones ahora, disfrutará durante toda la eternidad de "la vida de verdad", la vida que Jehová Dios siempre quiso que tuviéramos.

---

23. ¿Por qué es esencial permanecer en el amor de Dios?

LO QUE LA BIBLIA ENSEÑA

- El verdadero amor a Dios se demuestra obedeciendo sus mandamientos y poniendo en práctica sus principios (1 Juan 5:3).

- Para permanecer en el amor de Dios tenemos que estudiar su Palabra, orarle desde el corazón, enseñar a los demás quién es él y adorarlo en las reuniones cristianas (Mateo 24:14; 28:19, 20; Juan 17:3; 1 Tesalonicenses 5:17; Hebreos 10:24, 25).

- Los que permanezcan en el amor de Dios disfrutarán de la vida de verdad (1 Timoteo 6:12, 19; Judas 21).

APÉNDICE

El nombre divino: su uso y significado

TENGA la bondad de abrir su Biblia en Salmo 83:18 (82:19 en algunas versiones). ¿Qué dice este versículo? La *Traducción del Nuevo Mundo de las Santas Escrituras* dice: "Para que la gente sepa que tú, cuyo nombre es Jehová, tú solo eres el Altísimo sobre toda la tierra". Otras Biblias lo traducen más o menos igual. Pero hay muchas que dejan fuera el nombre *Jehová* y lo cambian por títulos como "Señor" o "Eterno". Entonces, ¿qué debería aparecer en este pasaje? ¿Un título, o el nombre *Jehová*?

Allí se menciona un nombre propio. En el texto original —escrito en hebreo, al igual que la mayor parte de la Biblia— hay un nombre propio muy singular. Este nombre se escribe con las letras hebreas יהוה (YHWH). Las formas habituales de adaptarlo al español son *Jehová* y *Yavé*. ¿Aparece este nombre en un solo lugar de la Biblia? De ninguna manera, pues se encuentra casi siete mil veces en el texto original de las Escrituras Hebreas.

El nombre de Dios en letras hebreas

¿Cuánta importancia tiene el nombre divino? Pensemos en el padrenuestro, el modelo de oración que nos dejó Jesucristo. Comienza así: "Padre nuestro que estás en los cielos, santificado sea tu nombre" (Mateo 6:9). Algún tiempo después de haber enseñado esta oración, Jesús rogó a Dios: "Padre, glorifica tu nombre". Y el Creador le respondió desde el cielo: "Lo glorifiqué, y también lo glorificaré de nuevo" (Juan 12:28). Por lo tanto, queda claro que el nombre de Dios es importantísimo. Entonces, ¿por qué lo han sacado algunos traductores de sus versiones de la Biblia y lo han sustituido por títulos?

Al parecer, hay dos motivos principales. Primero, muchos afirman que no debemos usar el nombre divino, ya que desconocemos cómo se pronunciaba. Dado que el hebreo antiguo se escribía sin vocales, hoy nadie puede decir con seguridad cuáles se utilizaban al pronunciar las letras YHWH en tiempos bíblicos. ¿Deberíamos negarnos por eso a emplear el nombre divino? Pues bien, en tiempos bíblicos, el nombre *Jesús* probablemente sonaba algo así como Yeshúa o Yehoshúa; nadie puede asegurarlo. Sin embargo, por todo el mundo se usan diferentes formas del nombre *Jesús,* que se pronuncian de la manera usual en cada idioma. Aunque la gente desconoce cómo se pronunciaba ese nombre en el siglo primero, no duda en usarlo. De igual modo, si usted viajara al extranjero, vería que su nombre suena diferente en otras lenguas. Por eso, el que no sepamos con seguridad cómo se pronunciaba el nombre de Dios en la antigüedad no es razón para negarse a usarlo.

La segunda razón que suele darse para suprimir en las Biblias el nombre de Dios tiene que ver con una antigua tradición de los judíos. Muchos de ellos creen que nunca debe pronunciarse el nombre divino. Todo indica que esta opinión se debe a una aplicación errónea del siguiente mandamiento: "No debes tomar el nombre de Jehová tu Dios de manera indigna, porque Jehová no dejará sin castigo al que tome su nombre de manera indigna" (Éxodo 20:7).

Ciertamente, este mandato prohíbe utilizar mal el nombre de Dios. Pero ¿impide usarlo con respeto? De ningún modo. Todos los escritores de la sección hebrea de la Biblia (el "Antiguo Testamento") eran hombres fieles que obedecían la Ley que Dios entregó a los israelitas. ¿Qué hicieron esos escritores leales con el nombre divino? Lo usaron con frecuencia. Por ejemplo, lo incluyeron en muchos salmos que cantaban en voz alta las multitudes que adoraban a Dios. Jehová incluso mandó a sus siervos que invocaran su nombre, y los fieles le obedecieron (Joel 2:32; Hechos 2:21). Así pues, los cristianos de la actualidad no dudamos en emplear el nombre de Dios con respeto, tal como sin duda alguna lo hizo Jesús (Juan 17:26).

Al sustituir el nombre divino por títulos, los traductores cometen un grave error. Hacen que Dios parezca lejano e impersonal. La Biblia, por el contrario, nos anima a todos a cultivar una relación de "intimidad con Jehová" (Salmo 25:14). Piense en un amigo íntimo. Si usted no supiera siquiera cómo se llama, ¿se sentiría muy unido a él? Pues ocurre algo parecido en el caso de Dios. ¿Cómo vamos a tener una amistad estrecha con él si no sabemos que se llama Jehová? Además, la gente que no emplea este nombre tampoco llega a conocer su maravilloso significado. ¿Qué quiere decir el nombre divino?

Dios lo explicó a su fiel siervo Moisés. Cuando este preguntó cómo se llamaba, Jehová contestó: "Yo resultaré ser lo que resultaré ser" (Éxodo 3:14). O como dice la traducción de Rotherham: "Yo Llegaré a Ser lo que yo quiera". Así que Jehová puede llegar a ser todo lo que haga falta para cumplir sus propósitos.

Supongamos que usted pudiera llegar a ser lo que quisiera. ¿Qué favores haría a sus amigos? Si alguno se enfermara de gravedad, usted podría convertirse en un médico hábil y curarlo. Si otro perdiera mucho dinero, usted podría llegar a ser rico y ayudarlo. Claro, usted, como todos nosotros, tiene limitaciones y no puede llegar a ser todo lo que quisiera. Pero al ir estudiando la Biblia, verá con asombro que Jehová llega a ser *todo* lo que haga falta para lograr lo que él quiere. Y le complace usar su poder a favor de las personas que lo aman (2 Crónicas 16:9). Quienes no aprenden el nombre divino se quedan sin conocer estos hermosos rasgos de la personalidad de Jehová.

Está claro que el nombre divino tiene que aparecer en la Biblia. Cuando sabemos lo que significa el nombre *Jehová* y lo utilizamos con libertad para adorar a nuestro Padre celestial, nos resulta más fácil acercarnos a él.*

------

* Si desea más información sobre el nombre de Dios, su significado y las razones por las que debe emplearse en la adoración, consulte el folleto *El nombre divino que durará para siempre,* editado por los testigos de Jehová.

El profeta Daniel
predice la llegada del Mesías

EL PROFETA Daniel vivió más de quinientos años antes de que naciera Jesús. No obstante, Jehová le reveló información con la que sería posible determinar cuándo iba a ungir, o nombrar, a Jesús como el Mesías, o Cristo. A Daniel se le dijo: "Debes saber y tener la perspicacia de que desde la salida de la palabra de restaurar y reedificar a Jerusalén hasta Mesías el Caudillo, habrá siete semanas, también sesenta y dos semanas" (Daniel 9:25).

Veamos cómo podría saberse cuándo se presentaría el Mesías. Primero hay que determinar en qué momento comienza a contarse el tiempo que pasaría hasta su llegada. La profecía muestra que ese momento es "la salida de la palabra de restaurar y reedificar a Jerusalén". ¿Cuándo tuvo lugar "la salida de la palabra"? Otro escritor de la Biblia, llamado Nehemías, relata que esa palabra, es decir, la orden de reconstruir las murallas de Jerusalén, salió "en el año veinte de Artajerjes el rey" (Nehemías 2:1, 5-8). Varios historiadores concuer-

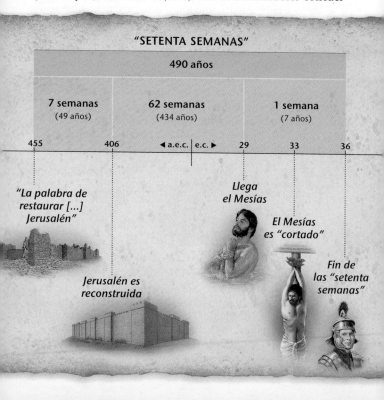

"SETENTA SEMANAS"

490 años

7 semanas
(49 años)

62 semanas
(434 años)

1 semana
(7 años)

455   406   ◄ a.e.c. | e.c. ►   29   33   36

"La palabra de restaurar [...] Jerusalén"

Jerusalén es reconstruida

Llega el Mesías

El Mesías es "cortado"

Fin de las "setenta semanas"

dan en que el primer año completo del reinado de Artajerjes fue el año 474 antes de la era común (a.e.c.). Haciendo cálculos, vemos que el año veinte de su reinado fue el 455 a.e.c. Por lo tanto, la profecía mesiánica de Daniel comienza a cumplirse en ese mismo año: 455 a.e.c.

Daniel indica cuánto tiempo pasaría desde ese momento hasta que llegara "Mesías el Caudillo". La profecía dice que serían "siete semanas, también sesenta y dos semanas", lo que da un total de 69 semanas. ¿Cuánto duraría en la realidad este período? Tal como indican varias versiones de la Biblia, no serían semanas normales, de siete días, sino semanas de años. En otras palabras, cada semana corresponde a siete años. Los judíos de la antigüedad conocían bien esta idea de las semanas de años, o grupos de siete años. Por ejemplo, celebraban un año sabático cada siete años (Éxodo 23:10, 11). Así pues, las 69 semanas de la profecía equivalen a 69 grupos de 7 años, o sea, a un total de 483 años.

Ahora ya solo es cuestión de hacer cuentas. Si contamos 483 años a partir del 455 a.e.c., llegamos al año 29 de la era común (e.c.), precisamente el año en que se bautizó Jesús y se convirtió en el Mesías (Lucas 3:1, 2, 21, 22).* ¿Verdad que esta profecía de la Biblia se cumplió a la perfección?

* Del año 455 a.e.c. al 1 a.e.c. van 454 años. Luego, del 1 a.e.c. al 1 e.c. va un solo año (pues no hay año cero). Y del 1 e.c. al 29 e.c. van 28 años. Si sumamos estas tres cantidades, obtenemos un total de 483 años. Jesús fue "cortado" de la vida, o ejecutado, en el año 33 e.c., durante la semana de años número 70 (Daniel 9:24, 26). Si desea más información, consulte el cap. 11 del libro *Prestemos atención a las profecías de Daniel,* y la obra *Perspicacia para comprender las Escrituras,* vol. 2, págs. 1014-1017. Ambas publicaciones están editadas por los testigos de Jehová.

Jesucristo, el Mesías prometido

JEHOVÁ DIOS reveló a los profetas de la Biblia mucha información acerca del Mesías, el Libertador prometido. Es fácil identificarlo, ya que anunciaron cómo sería su nacimiento,

PROFECÍAS ACERCA DEL MESÍAS

HECHO	PROFECÍA	CUMPLIMIENTO
Es de la tribu de Judá	Génesis 49:10	Lucas 3:23-33
Nace de una virgen	Isaías 7:14	Mateo 1:18-25
Desciende del rey David	Isaías 9:7	Mateo 1:1, 6-17
Jehová lo declara Hijo suyo	Salmo 2:7	Mateo 3:17
No creen en él	Isaías 53:1	Juan 12:37, 38
Entra en Jerusalén montando un asno	Zacarías 9:9	Mateo 21:1-9
Lo traiciona un compañero muy cercano	Salmo 41:9	Juan 13:18, 21-30
Lo traicionan por 30 piezas de plata	Zacarías 11:12	Mateo 26:14-16
Calla ante sus acusadores	Isaías 53:7	Mateo 27:11-14
Sortean su ropa	Salmo 22:18	Mateo 27:35
Sufre burlas mientras está en el madero	Salmo 22:7, 8	Mateo 27:39-43
No le quiebran ni un hueso	Salmo 34:20	Juan 19:33, 36
Lo entierran con los ricos	Isaías 53:9	Mateo 27:57-60
Resucita antes de corromperse	Salmo 16:10	Hechos 2:24, 27
Dios lo eleva a su diestra	Salmo 110:1	Hechos 7:56

ministerio y muerte. De forma asombrosa, todas estas predicciones se cumplieron hasta el mínimo detalle en Jesucristo. Comprobaremos que son muy exactas viendo algunas que hablan de su nacimiento y su niñez.

El profeta Isaías predijo que el Mesías sería de la familia de David (Isaías 9:7). Y así fue: Jesús era descendiente de este rey (Mateo 1:1, 6-17).

Miqueas, otro profeta de Dios, dijo que nacería en "Belén Efrata" y llegaría a ser gobernante (Miqueas 5:2). Pues bien, cuando Jesús vino al mundo, había en Israel dos ciudades llamadas Belén. Una estaba en el norte del país, cerca de Nazaret, y la otra, en Judá, cerca de Jerusalén. La que quedaba cerca de Jerusalén se había llamado anteriormente Efrata. Y fue justo en esa localidad donde nació Jesús, cumpliendo así la profecía (Mateo 2:1).

Otra profecía de la Biblia anunció que Dios llamaría a su Hijo para que saliera "de Egipto". Y así ocurrió, pues el niño Jesús fue llevado a Egipto, y más tarde, cuando murió el rey Herodes, regresó a su país. De este modo se cumplió la citada profecía (Oseas 11:1; Mateo 2:15).

En la tabla de la página 200 verá la columna "Profecía", la cual indica pasajes bíblicos que anunciaron diversos detalles acerca del Mesías. Le animamos a comparar esos textos con los que aparecen en la columna "Cumplimiento". De este modo se convencerá aún más de que la Palabra de Dios es la verdad.

Cuando examine estos pasajes, no olvide que las profecías se escribieron siglos antes de que naciera Jesús. El propio Jesús dijo: "Todas las cosas escritas en la ley de Moisés y en los Profetas y en los Salmos acerca de mí tenían que cumplirse" (Lucas 24:44). Como podrá comprobar en su propia Biblia, ciertamente se cumplieron, y con todo detalle.

La verdad acerca del Padre, el Hijo y el espíritu santo

QUIENES creen en la Trinidad afirman que en Dios existen tres personas: Padre, Hijo y Espíritu Santo. Y añaden que las tres son iguales entre sí, que todo lo pueden y que no tienen principio. Por lo tanto, la doctrina de la Trinidad asegura que el Padre es Dios, el Hijo es Dios y el Espíritu Santo también es Dios, y que, sin embargo, hay un solo Dios.

Muchos partidarios de esta doctrina reconocen que no son capaces de explicarla. Con todo, quizás crean que se enseña en la Palabra de Dios. Sin embargo, conviene destacar que en las Escrituras no aparece ni una sola vez el término *Trinidad*. Ahora bien, ¿hay algún versículo de la Biblia que dé a entender la existencia de una Trinidad? Para contestar esta pregunta, veamos uno que suele citarse con la intención de probar que esta doctrina es bíblica.

"LA PALABRA ERA DIOS"

Juan 1:1 dice: "En el principio existía la Palabra y la Palabra estaba junto a Dios, y la Palabra era Dios" *(Biblia de Jerusalén Latinoamericana [BJL])*. Unos versículos más abajo, en este mismo capítulo, el apóstol Juan señala con claridad que "la Palabra" es Jesús (Juan 1:14). Pues bien, como ese pasaje dice que la Palabra era Dios, algunos lectores entienden que tanto el Hijo como el Padre deben de formar parte del mismo Dios.

Hay que tener en cuenta que esta sección de la Biblia se escribió originalmente en griego, y que luego se tradujo a otros idiomas. Aunque algunos estudiosos usan en sus versiones la frase "la Palabra era Dios", otros ofrecen traducciones diferentes. ¿Por qué razón? Porque al examinar a fondo el griego bíblico han llegado a ver que, para traducir más fielmente esa frase, deben emplearse otras expresiones. Veamos algunos ejemplos: "un ser divino era el Proyecto [o la Palabra]", "la Palabra era divina" y "dios era la Palabra" *(Juan. Texto y Comentario,* de J. Mateos y J. Barreto, lectura alternativa; *Los escritos originales de la comunidad del discípulo "amigo" de Jesús,* de Senén Vidal; *Cuarto Evangelio. Cartas de Juan,* de J. J. Bartolomé). De acuerdo con estas traducciones, la Palabra no era Dios mismo.* Más bien, el versículo muestra la posición elevada que ocupa la Palabra entre las criaturas de Jehová, y por eso dice que es un "dios". En este texto, el nombre "dios", con minúscula, se usa con el sentido de un "ser poderoso".

---

* Para más información sobre Juan 1:1, consulte las págs. 24, 25 del número del 1 de noviembre de 2008 de la revista *La Atalaya,* editada por los testigos de Jehová.

EXAMINEMOS MÁS DATOS

La mayoría de la gente no sabe griego bíblico. Entonces, ¿cómo puede estar uno seguro de lo que quería decir exactamente el apóstol Juan? Pues bien, pongamos el ejemplo de un maestro que explica algún tema a sus alumnos. Más tarde, los estudiantes tienen distintas opiniones sobre lo que quiso enseñarles. ¿Cómo pueden salir de dudas? Pidiéndole más información al profesor. Así lograrán entender mejor lo que dijo. De igual modo, para comprender bien el texto de Juan 1:1, lo mejor es ir al Evangelio de Juan. Allí buscaremos más datos sobre la posición que ocupa Jesús. Cuando los encontremos, será más fácil sacar una conclusión acertada.

Por ejemplo, veamos lo que escribió Juan más adelante, en el capítulo 1, versículo 18: "A Dios [Todopoderoso] ningún hombre lo ha visto jamás". Sin embargo, algunos seres humanos sí vieron al Hijo de Dios, Jesús, pues Juan dice: "La Palabra [Jesús] se hizo carne, y puso su Morada entre nosotros, y hemos contemplado su gloria" (Juan 1:14, *BJL*). Entonces, ¿cómo puede decirse que el Hijo sea parte del Dios todopoderoso? Además, Juan señala que la Palabra estaba *"junto a Dios"*. ¿Cómo es posible que alguien esté *junto a* otro ser, y que a la vez *sea* ese mismo ser? Además, en Juan 17:3 vemos que Jesús establece una clara distinción entre él y su Padre celestial, al que llama "el único Dios verdadero". Y casi al final de su Evangelio, Juan hace el siguiente resumen: "Estas [cosas] han sido escritas para que ustedes crean que Jesús es el Cristo [y] el Hijo de Dios" (Juan 20:31). Observamos que en este versículo no se dice que Jesús es Dios, sino el Hijo de Dios. Todos estos datos que añade el Evangelio de Juan muestran cómo debemos entender Juan 1:1. La Palabra, es decir, Jesús, es un "dios", o sea, un ser que tiene una elevada posición, pero que no es igual al Dios todopoderoso.

CONFIRMEMOS LOS DATOS

Volvamos al ejemplo del profesor. Imagínese que algunos alumnos aún tienen dudas después de escuchar la aclaración de su maestro. ¿Qué más pueden hacer? Pueden buscar a otro profesor y pedirle más datos. Si el segundo maestro confirma la explicación del primero, a la mayoría de los estudiantes ya no les quedarán dudas. Pues bien, lo mismo pasa si uno no está seguro de qué quiso decir el apóstol Juan sobre la relación que existe entre Jesús y el Dios todopoderoso. En tal caso, es posible buscar más información recurriendo a otro escritor de la Biblia. Tomemos como ejemplo a Mateo. Él puso por escrito las siguientes palabras de Jesús: "Respecto a aquel día y hora [del fin de este sistema de cosas] nadie sabe, ni los ángeles de los cielos, ni el Hijo, sino solo el Padre" (Mateo 24:36). ¿Cómo confirman estas palabras que Jesús no es el Dios todopoderoso?

Jesús dice que el Padre sabe más cosas que el Hijo. Pero si Jesús formara parte del Dios todopoderoso, tendría que saber lo mismo que su Padre. De esta forma, vemos que el Hijo y el Padre no pueden ser iguales. Pese a todo, habrá quien diga: "Es que Jesús tenía dos naturalezas: la divina y la humana, y aquí habló según su naturaleza humana". Supongamos que fuera cierto. Entonces, ¿qué sucede con el espíritu santo? Si fuera verdad la enseñanza de que forma parte del mismo Dios que el Padre, ¿por qué no indicó Jesús que el espíritu conocía esa información? Él dijo más bien que el único que la conocía era el Padre.

Al seguir estudiando la Biblia, usted llegará a conocer muchos otros pasajes relacionados con este tema. Todos ellos confirman la verdad acerca del Padre, el Hijo y el espíritu santo (Salmo 90:2; Hechos 7:55; Colosenses 1:15).

¿Deberían los cristianos utilizar la cruz?

MILLONES de personas aman y respetan la cruz. De hecho, la *Enciclopedia Hispánica* la considera el "símbolo de la religión cristiana". Ahora bien, ¿deberían utilizarla los cristianos?

Primeramente, hay que tener en cuenta un hecho fundamental: Jesucristo no murió en una cruz. La palabra griega que suele traducirse "cruz" es *staurós,* que significa básicamente "poste o palo vertical". Además, este término griego "nunca significa *dos* piezas de madera que se cruzan en algún ángulo [...]. En el griego del [Nuevo Testamento] no hay nada que siquiera dé a entender dos piezas de madera" *(The Companion Bible).*

Hay pasajes donde los escritores bíblicos usan otro término para referirse al instrumento en el que fue ejecutado Jesús. Es la palabra griega *xýlon*, la cual significa sencillamente "madera" y "leño, garrote o palo" (Hechos 5:30; 10:39; 13:29; Gálatas 3:13; 1 Pedro 2:24).

El estudioso Hermann Fulda explica por qué solía usarse un madero sencillo para las ejecuciones: "En los lugares elegidos para las ejecuciones públicas no siempre había árboles. Por eso, se hincaba en la tierra un poste sencillo, y a él se ataba o clavaba a los delincuentes por las manos, levantadas hacia arriba, y frecuentemente también por los pies" (*Das Kreuz und die Kreuzigung* [La cruz y la crucifixión]).

Pero la prueba más convincente proviene de la Palabra de Dios. El apóstol Pablo dice: "Cristo, por compra, nos libró de la maldición de la Ley, llegando a ser una maldición en lugar de nosotros, porque está escrito: 'Maldito es todo aquel que es colgado en un madero' ", o en "un palo", según la *Nueva Biblia Española* (Gálatas 3:13). Pablo cita en este versículo de Deuteronomio 21:22, 23, que claramente se refiere a un madero, y no a una cruz. El madero convertía al ejecutado en "una maldición". Por esta razón, no estaría bien que el cristiano decorara su casa con imágenes de Cristo clavado en este instrumento de ejecución.

De acuerdo con las pruebas existentes, ¿qué ocurrió tras la muerte de Cristo? Durante los siguientes trescientos años, las personas que afirmaban ser cristianas no utilizaron la cruz en el culto. Sin embargo, en el siglo IV, el emperador Constantino se convirtió del paganismo a una forma de cristianismo apóstata. A partir de ese momento promovió la cruz como símbolo de su religión. Pero, independientemente de cuáles fueran los motivos de Constantino, la cruz no tenía nada que ver con Jesucristo. De hecho, es un símbolo de origen pagano. Una obra católica reconoce: "La cruz aparece tanto en las culturas precristianas como en las culturas no cristianas" (*New Catholic Encyclopedia*). Otros expertos la han relacionado con el culto a la naturaleza y los ritos sexuales paganos.

Entonces, ¿por qué se promovió este símbolo pagano? Al parecer, porque así era más fácil que los paganos aceptaran el "cristianismo". No obstante, la Biblia condena claramente la devoción a símbolos paganos (2 Corintios 6:14-18). También prohíbe todas las formas de idolatría (Éxodo 20:4, 5; 1 Corintios 10:14). Con razón, el cristiano verdadero se niega a utilizar la cruz como instrumento para adorar a Dios.*

* Encontrará información más detallada sobre la cruz en las págs. 91-95 del libro *Razonamiento a partir de las Escrituras,* editado por los testigos de Jehová.

La Cena del Señor: una celebración que honra a Dios

LOS cristianos han recibido el mandato de celebrar la Conmemoración de la muerte de Cristo, la cual se llama también "la cena del Señor" (1 Corintios 11:20). ¿Por qué es tan importante este acto? ¿Cuándo y cómo debe realizarse?

Jesucristo estableció esta celebración la noche de la Pascua judía del año 33 de nuestra era. La Pascua era una fiesta que tenía lugar solo una vez al año, el día 14 de nisán (mes del calendario judío). Por lo visto, los judíos calculaban la fecha a partir del equinoccio de primavera, es decir, del día en que hay aproximadamente doce horas de luz y doce de oscuridad. El mes de nisán comenzaba cuando podía verse por primera vez la luna nueva más cercana al equinoccio de primavera. El día de la Pascua empezaba catorce días después, tras la puesta del Sol.

Aquella noche, Jesús celebró la Pascua con sus apóstoles, despidió a Judas Iscariote y luego estableció la Cena del Señor. Esta comida sustituyó a la Pascua judía y, por esa razón, debe celebrarse una sola vez al año.

El Evangelio de Mateo explica lo que pasó: "Jesús tomó un pan y, después de decir una bendición, lo partió y, dándolo a los discípulos, dijo: 'Tomen, coman. Esto significa mi cuerpo'. También, tomó una copa y, habiendo dado gracias, la dio a ellos, diciendo: 'Beban de ella, todos ustedes; porque esto significa mi "sangre del pacto", que ha de ser derramada a favor de muchos para perdón de pecados' " (Mateo 26:26-28).

Hay quienes creen que Jesús convirtió realmente el pan en su carne, y el vino en su sangre. Sin embargo, el cuerpo de Jesús seguía entero cuando él ofreció el pan. ¿Puede decirse entonces que comieron de verdad los apóstoles la carne de Jesús y bebieron su sangre? No, pues eso habría sido un acto de canibalismo y una violación de la ley de Dios (Génesis 9:3, 4; Levítico 17:10). Según Lucas 22:20, Jesús dijo: "Esta copa significa el nuevo pacto en virtud de mi sangre, que ha de ser derramada a favor de ustedes". ¿Se convirtió de verdad la copa en "el nuevo pacto"? Eso es imposible, pues un pacto es un acuerdo; no se trata de un objeto material.

Por lo tanto, el pan y el vino son solo símbolos. El pan representa el cuerpo perfecto de Cristo. Jesús utilizó un pan que sobró de la cena de la Pascua, hecho sin levadura o fermento de ningún tipo (Éxodo 12:8). La Biblia emplea la levadura como símbolo del pecado o la corrupción. Así pues, el pan representa el cuerpo perfecto que Jesús sacrificó, un cuerpo libre de pecado (Mateo 16:11, 12; 1 Corintios 5:6, 7; 1 Pedro 2:22; 1 Juan 2:1, 2).

El vino tinto representa la sangre de Jesús, la cual da validez al nuevo pacto. Jesús indicó que derramaría su sangre "para perdón de pecados". Gracias a ella, algunos seres humanos son considerados puros a los ojos de Jehová y entran en el nuevo pacto con él (Hebreos 9:14; 10:16, 17). Este pacto, o contrato, hace posible que 144.000 cristianos fieles vayan al cielo. Allí serán reyes y sacerdotes para beneficio de toda la humanidad (Génesis 22:18; Jeremías 31:31-33; 1 Pedro 2:9; Revelación [Apocalipsis] 5:9, 10; 14:1-3).

¿Quiénes tienen derecho a comer el pan y beber el vino que se usan como emblemas en la Conmemoración? De acuerdo con lo que hemos visto, solo deben hacerlo quienes forman parte del nuevo pacto, es decir, quienes tienen la esperanza de ir al cielo. El espíritu santo de Dios les da la convicción de que han sido elegidos para ser reyes en el cielo (Romanos 8:16). Estas personas también forman parte del pacto para el Reino con Jesús (Lucas 22:29).

Ahora bien, ¿qué hacen quienes esperan vivir eternamente en una Tierra convertida en un paraíso? Tal como Jesús mandó, asisten a la Cena del Señor y muestran su respeto al estar presentes, aunque no participan de los emblemas. Los testigos de Jehová celebran la Cena del Señor una vez al año, después de la puesta del Sol con la que comienza el día 14 de nisán. Aunque en el mundo entero solo hay unos pocos miles de personas que afirman tener la esperanza celestial, esta celebración es importantísima para todos los cristianos. Es una ocasión que les permite meditar sobre el inmenso amor de Jehová Dios y Jesucristo (Juan 3:16).

"Alma" y "espíritu": ¿qué significan realmente estas palabras?

CUANDO oye las palabras *alma* y *espíritu,* ¿qué le viene a la mente? Muchas personas creen que estos términos definen algo que los seres humanos llevamos dentro, algo que no muere ni puede verse. Opinan que, cuando fallecemos, esa parte invisible de nosotros se separa del cuerpo y sigue viviendo en algún lugar. Como es una idea muy común, la gente suele sorprenderse al aprender que eso no es lo que la Biblia enseña, ni mucho menos. Entonces, ¿qué son el alma y el espíritu según la Palabra de Dios?

LA PALABRA "ALMA" EN LA BIBLIA

Hablemos primero del alma. Como usted recordará, casi toda la Biblia se escribió originalmente en hebreo y griego. Al referirse al alma, los escritores bíblicos emplearon el término hebreo *néfesch* y el griego *psykjé.* En conjunto, los dos aparecen más de ochocientas veces en las Escrituras, y la *Traducción del Nuevo Mundo* los traduce siempre por "alma". ¿Cómo se usan en la Biblia las palabras "alma" y "almas"? Se refieren básicamente a 1) las personas, 2) los animales o 3) la vida que tienen tanto las personas como los animales. Veamos varios pasajes que muestran estos tres sentidos.

Personas. "En los días de Noé, [...] unas pocas personas, es decir, ocho almas, fueron llevadas a salvo a través del agua." (1 Pedro 3:20.) Aquí está claro que "almas" quiere decir seres humanos: Noé, su esposa, sus tres hijos y sus nueras. Además, en Éxodo 16:16 se dio este mandato a los israelitas: "Recojan [el maná] [...] según el número de almas que tenga cada uno de ustedes en su tienda". En otras palabras, la cantidad de maná dependería del tamaño de la familia. Las palabras "alma" o "almas" también se refieren a personas en pasajes tales como Génesis 46:18, Josué 11:11, Hechos 27:37 y Romanos 13:1.

Animales. En el relato bíblico de la creación leemos: "Dios pasó a decir: 'Enjambren las aguas un enjambre de almas vivientes, y vuelen criaturas voladoras por encima de la tierra sobre la faz de la expansión de los cielos'. Y Dios pasó a decir: 'Produzca la tierra almas vivientes según sus géneros, animal doméstico y animal moviente y bestia salvaje de la tierra según su género'. Y llegó a ser así" (Génesis 1:20, 24). A los peces, animales domésticos y animales salvajes se los llama en este pasaje con la misma palabra: "almas". A las aves y otros animales también se les aplica este término en Génesis 9:10, Levítico 11:46 y Números 31:28.

La vida de la persona. A veces, la palabra "alma" se refiere a la vida de alguien. Por ejemplo, Jehová le dijo a Moisés: "Han muerto todos los hombres que buscaban tu alma" (Éxodo 4: 19). ¿Qué era lo que buscaban los enemigos de Moisés? Querían quitarle la vida. También leemos que, muchos años antes, cuando Raquel estaba dando a luz a su hijo Benjamín, le fue "saliendo el alma de ella (porque murió)" (Génesis 35:16-19). Entonces, Raquel perdió la vida. Pensemos, además, en estas palabras de Jesús: "Yo soy el pastor excelente; el pastor excelente entrega su alma a favor de las ovejas" (Juan 10:11). Jesús entregó su alma, es decir, su vida, a favor de la humanidad. En todos los anteriores pasajes, la palabra "alma" se refiere claramente a la vida de alguna persona. Encontramos más ejemplos de este sentido del término "alma" en 1 Reyes 17:17-23, Mateo 10:39, Juan 15:13 y Hechos 20:10.

Si continúa estudiando la Palabra de Dios, verá que no hay en ella ni un solo versículo que combine la palabra "alma" con otras como "inmortal" o "eterna". Por el contrario, las Escrituras muestran que el alma es mortal, que ciertamente muere (Ezequiel 18:4, 20). Eso explica que la Biblia se refiera a un cadáver con la expresión "alma muerta" (Levítico 21:11).

¿QUÉ ES EL "ESPÍRITU"?

Veamos ahora cómo emplean las Escrituras el término "espíritu". Algunas personas creen que se usa como equivalente de "alma". Pero no es así. La Biblia deja claro que el "espíritu" y el "alma" son dos cosas distintas. ¿En qué se diferencian?

Los escritores bíblicos usaron el término hebreo *rúaj* y el griego *pnéuma* para referirse al "espíritu". La propia Biblia aclara qué sentido tienen. Por ejemplo, Salmo 104:29 dirige este comentario a Jehová: "Si les quitas su espíritu *[rúaj]*, expiran, y a su polvo vuelven". Además, Santiago 2:26 declara que "el cuerpo sin espíritu *[pnéuma]* está muerto". En estos versículos, está claro que la palabra "espíritu" se refiere a lo que infunde vida al cuerpo, pues sin él estaría muerto. Por esta razón, la palabra *rúaj* no solo se traduce en la Biblia "espíritu", sino también "fuerza", es decir, fuerza de vida. Así, Dios dijo lo siguiente sobre el Diluvio de Noé: "Voy a traer el diluvio de aguas sobre la tierra para arruinar de debajo de los cielos a toda carne en la cual está activa la fuerza *[rúaj]* de vida" (Génesis 6:17; 7:15, 22). Por consiguiente, el "espíritu" se refiere a una fuerza invisible, a la chispa de la vida que anima a todas las criaturas.

El alma no es lo mismo que el espíritu. El cuerpo necesita el espíritu para funcionar, de manera muy parecida a como un aparato de radio necesita la electricidad. Pensemos en un aparato de radio portátil. Cuando le ponemos pilas, la electricidad almacenada en ellas pone en marcha el aparato. Sin pilas, sencillamente no funciona. Y ese es también el caso de los aparatos de radio que se conectan a un enchufe. Pues bien, ocurre algo parecido con el espíritu: es la fuerza que imparte vida al cuerpo. Lo mismo que la electricidad, no tiene sentimientos ni puede pensar. En efecto, el espíritu es una fuerza impersonal. Sin embargo, cuando nuestros cuerpos dejan de tener este espíritu, o fuerza vital, ocurre como dijo el salmista: "Expiran, y a su polvo vuelven".

Eclesiastés 12:7 dice que, al morir el hombre, "el polvo [del cuerpo] vuelve a la tierra justamente como sucedía que era, y el espíritu mismo vuelve al Dios verdadero que lo dio". Cuando el espíritu, o fuerza vital, abandona el cuerpo, este muere y regresa a su origen: la tierra. De igual modo, la fuerza vital regresa a su origen: Dios (Job 34:14, 15; Salmo 36:9). Pero esto no quiere decir que la fuerza vital realmente viaje hasta el cielo. Más bien, significa que, cuando alguien muere, es Jehová quien decide si vivirá o no en el futuro. Por así decirlo, su vida queda en manos de Dios. El poder divino es lo único que puede devolver a alguien el espíritu, o fuerza vital, de modo que vuelva a vivir.

¡Cuánto nos tranquiliza saber que eso es lo que Dios hará con las personas que descansan en "las tumbas conmemorativas"! (Juan 5:28, 29.) Cuando llegue el momento de resucitarlas, Jehová les formará nuevos cuerpos y hará que vuelvan a la vida infundiéndoles espíritu, o fuerza vital. ¡Qué felicidad habrá!

Si desea aprender más sobre el uso de los términos "alma" y "espíritu" en la Biblia, encontrará información útil en el folleto *¿Qué nos sucede cuando morimos?* y en las páginas 32 a 36 y 136 a 140 del libro *Razonamiento a partir de las Escrituras*. Ambas publicaciones están editadas por los testigos de Jehová.

¿Qué son el Seol y el Hades?

EN SUS idiomas originales, la Biblia usa más de setenta veces el término hebreo *sche'óhl* y su equivalente griego *háides,* los cuales tienen relación con la muerte. En algunas Biblias se traducen "sepulcro", "infierno", "hoyo" y así por el estilo. Sin embargo, la mayoría de los idiomas no disponen de nombres que den a entender exactamente lo mismo que la palabra hebrea o la griega. Por eso, la *Traducción del Nuevo Mundo* adapta las dos al español: "Seol" y "Hades". Ahora bien, ¿qué significado tienen? Veamos cómo se emplean en varios pasajes bíblicos.

Eclesiastés 9:10 explica: "No hay trabajo ni formación de proyectos ni conocimiento ni sabiduría en el Seol, el lugar adonde vas". ¿Quiere decir esto que el Seol es cada tumba en la que enterramos a un ser querido? No. Cuando la Biblia habla de sepulturas individuales, no usa ni *sche'óhl* ni *háides,* sino otras palabras del hebreo y el griego (Génesis 23:7-9; Mateo 28:1). Tampoco aplica el nombre "Seol" a una tumba donde se pone juntas a varias personas, como un panteón familiar o una fosa común (Génesis 49:30, 31).

Entonces, cuando la Palabra de Dios habla del "Seol" o "Hades", ¿a qué se refiere? A un lugar mucho mayor que una enorme fosa común. Por ejemplo, Isaías 5:14 señala que el Seol es una región "espaciosa" que "ha abierto ancha su boca, más allá del límite". Por así decirlo, el Seol ha devorado a un sinfín de muertos, y siempre quiere más (Proverbios 30:15, 16). A diferencia de los cementerios, que solo admiten cierta cantidad de cadáveres, 'el Seol no se satisface' (Proverbios 27:20). En efecto, el Seol, o Hades, nunca se llena ni tiene límites. No se trata, por lo tanto, de un sitio literal que se encuentre en un punto determinado. Más bien, se refiere a la sepultura colectiva a la que van los difuntos o, lo que es lo mismo, al lugar simbólico donde la mayoría de la humanidad duerme el sueño de la muerte.

Cuando aprendemos lo que enseña la Biblia acerca de la resurrección, entendemos mejor qué es el Seol o Hades. La Palabra de Dios relaciona este lugar con la muerte de la que se puede resucitar (Job 14:13; Hechos 2:31; Revelación [Apocalipsis] 20:13).* También indica que allí están tanto los que sirvieron a Jehová como muchos que no lo hicieron (Génesis 37:35; Salmo 55:15). Por eso asegura que habrá "resurrección así de justos como de injustos" (Hechos 24:15).

---

* En cambio, la Biblia señala que las personas que no resucitarán no se encuentran en el Seol o Hades, sino en un lugar llamado "Gehena", que tampoco es literal (Mateo 5:30; 10:28; 23:33).

¿Qué es el Día del Juicio?

¿CÓMO se imagina usted el Día del Juicio? Muchos creen que miles de millones de almas se presentarán de una en una ante el trono de Dios para ser juzgadas. También piensan que algunas serán recompensadas con una vida dichosa en el cielo, mientras que otras serán condenadas a sufrir tormento eterno. Sin embargo, la Biblia indica que el Día del Juicio será muy distinto: no será un tiempo de terror, sino de esperanza y restauración.

En Revelación (o Apocalipsis) 20:11, 12, el apóstol Juan describe así el Día del Juicio: "Vi un gran trono blanco, y al que estaba sentado en él. De delante de él huyeron la tierra y el cielo, y no se halló lugar para ellos. Y vi a los muertos, los grandes y los pequeños, de pie delante del trono, y se abrieron rollos. Pero se abrió otro rollo; es el rollo de la vida. Y los muertos fueron juzgados de acuerdo con las cosas escritas en los rollos según sus hechos". ¿Quién es el Juez sentado en ese trono?

Jehová Dios es el Juez Supremo de la humanidad. Sin embargo, ha dejado la labor de juzgar en manos de otra persona. Según Hechos 17:31, el apóstol Pablo dijo que Dios "ha fijado un día en que se propone juzgar la tierra habitada con justicia por un varón a quien ha nombrado". Y ese Juez es el resucitado Jesucristo (Juan 5:22). Pero ¿cuándo empezará el Día del Juicio y cuánto durará?

El libro de Revelación indica que el Día del Juicio comenzará tras la guerra de Armagedón, la cual acabará con el mundo de Satanás (Revelación 16:14, 16; 19:19-20:3).* Después de Armagedón se encerrará a Satanás y sus demonios en un abismo, donde permanecerán mil años. Durante ese tiempo, los 144.000 coherederos celestiales juzgarán a la gente y "reinar[án] con el Cristo por mil años" (Revelación 14:1-3; 20: 1-4; Romanos 8:17). Como vemos, el Día del Juicio no será un período de actividad apresurada que dure solo veinticuatro horas, sino que se extenderá por todo un milenio.

Durante esos mil años, Jesucristo tendrá que "juzgar a los vivos y a los muertos" (2 Timoteo 4:1). La expresión "los vivos" se refiere a las personas que componen la "gran muchedumbre", las cuales sobrevivirán a la guerra de Armagedón (Revelación 7:9-17). El apóstol Juan también vio a "los muertos [...] de pie delante del trono" de juicio. Como prometió Jesús, "los que están en las tumbas conmemorativas oirán [la] voz [de Cristo] y saldrán" al ser resucitados (Juan 5:28, 29; Hechos 24:15). Ahora bien, ¿qué se tendrá en cuenta a la hora de juzgar a todas esas personas?

En la visión que tuvo el apóstol Juan "se abrieron rollos" y "los muertos fueron juzgados de acuerdo con las cosas escritas en los rollos según sus hechos". ¿Contienen estos rollos un registro de las obras que realizaron en el pasado las personas? No. El juicio no se centrará en lo que hicieron antes de morir. ¿Cómo lo sabemos? Porque la Biblia dice que "el que ha muerto ha sido absuelto de su pecado" (Romanos 6:7). En el caso de los que resuciten, se hará borrón y cuenta nueva, por así decirlo. Por lo tanto, esos rollos tienen que representar nuevas instrucciones de parte de Dios. Para vivir eternamente, tanto los resucitados como los sobrevivientes de Armagedón tendrán que obedecer los mandamientos de Dios. Entre estos estarán todos los mandatos que Jehová decida revelar durante los mil años. De este modo, cada uno será juzgado por lo que haga *durante* el Día del Juicio.

* Hallará más detalles sobre Armagedón en *Perspicacia para comprender las Escrituras,* vol. 1, págs. 680, 681, 1086, 1087, y en el cap. 20 de *Adoremos al único Dios verdadero,* ambos editados por los testigos de Jehová.

En el Día del Juicio, miles de millones de personas tendrán por primera vez la oportunidad de aprender cuál es la voluntad de Dios y luego hacerla. Para ello, deberá realizarse una obra educativa a gran escala. En efecto, "justicia es lo que los habitantes de la tierra productiva ciertamente aprende[rán]" (Isaías 26:9). Sin embargo, no todo el mundo estará dispuesto a hacer la voluntad de Dios. Isaías 26:10 dice: "Aunque se muestre favor al inicuo, simplemente no aprenderá justicia. En la tierra de derechura [o rectitud] actuará injustamente, y no verá la eminencia de Jehová". Esta gente malvada será destruida para siempre durante el Día del Juicio (Isaías 65:20).

Cuando finalice el Día del Juicio, los seres humanos que sigan con vida habrán "llega[do] a vivir" en el sentido pleno de la palabra, ya que serán perfectos (Revelación 20:5). Por lo tanto, durante el Día del Juicio, la humanidad recuperará la perfección original (1 Corintios 15:24-28). Luego vendrá una prueba final. Para ello, se liberará a Satanás y se le permitirá que trate de engañar a la humanidad por última vez (Revelación 20:3, 7-10). Las personas que se opongan al Diablo verán cómo se cumple a plenitud esta promesa bíblica: "Los justos mismos poseerán la tierra, y residirán para siempre sobre ella" (Salmo 37:29). Sin lugar a dudas, el Día del Juicio será una bendición para todas las personas fieles.

1914: año importante en las profecías bíblicas

ANTES de 1914, un grupo de estudiantes de la Biblia estuvo anunciando por varias décadas que en ese año tendrían lugar sucesos significativos. ¿Qué sucesos serían? ¿Qué pruebas demuestran que 1914 fue un año muy importante?

En Lucas 21:24 encontramos estas palabras de Jesús: "Jerusalén será hollada [o pisoteada] por las naciones, hasta que se cumplan los tiempos señalados de las naciones", o "los tiempos de los Gentiles", según la versión Reina-Valera de 1865.

Jerusalén era la capital de la nación judía. Desde allí gobernaba una línea de reyes de la casa real de David (Salmo 48:1, 2). Estos reyes eran distintos de los demás líderes nacionales porque se sentaban en "el trono de Jehová", es decir, eran representantes de Dios (1 Crónicas 29:23). Así pues, Jerusalén simbolizaba el gobierno que ejerce Jehová.

Entonces, ¿cómo y cuándo comenzaron las naciones a pisotear el gobierno de Dios? Esto ocurrió en el año 607 antes de la era común (a.e.c.), cuando los babilonios tomaron Jerusalén. "El trono de Jehová" quedó vacío, y se interrumpió la línea de reyes que descendían de David (2 Reyes 25:1-26). ¿Se mantendría "hollada" a Jerusalén para siempre? No, pues en el libro profético de Ezequiel se da esta orden a Sedequías, el último rey de esa ciudad: "Remueve el turbante, y quita la corona. Esta [...] no llegará a ser de nadie hasta que venga aquel que tiene el derecho legal, y tengo que dar esto a él" (Ezequiel 21: 26, 27). La persona con "el derecho legal" a heredar la corona

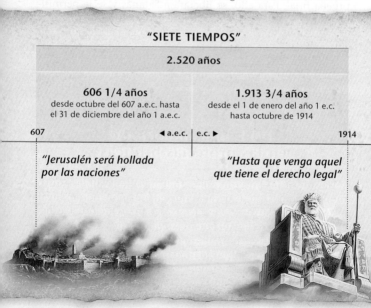

"SIETE TIEMPOS"

2.520 años	
606 1/4 años desde octubre del 607 a.e.c. hasta el 31 de diciembre del año 1 a.e.c.	**1.913 3/4 años** desde el 1 de enero del año 1 e.c. hasta octubre de 1914

607   ◄ a.e.c. | e.c. ►   1914

"Jerusalén será hollada por las naciones"

"Hasta que venga aquel que tiene el derecho legal"

de David es Jesucristo (Lucas 1:32, 33). Por lo tanto, Jerusalén dejaría de ser "hollada" cuando Jesús se convirtiera en Rey.

¿Cuándo ocurrió este gran suceso? Jesús indicó que los gentiles (es decir, los no judíos) gobernarían por un tiempo, o período, señalado. El capítulo 4 de Daniel da la clave para saber su duración. Allí se relata un sueño profético que tuvo un rey de Babilonia llamado Nabucodonosor. En el sueño vio cómo cortaban un árbol enorme. Solo se dejaba su base, la cual se ataba con hierro y cobre para que no creciera. Luego, un ángel ordenaba: "Pasen *siete tiempos* sobre él" (Daniel 4:10-16).

En la Biblia, los árboles en ocasiones representan gobiernos (Ezequiel 17:22-24; 31:2-5). Por lo tanto, el hecho de que se cortara el árbol simbólico significa que quedaría interrumpido el gobierno de Dios, el cual estaba representado por los reyes de Jerusalén. Sin embargo, la visión también anunció que "Jerusalén" sería "hollada" temporalmente: durante "siete tiempos". ¿Cuánto duraría en realidad ese período?

Revelación (o Apocalipsis) 12:6, 14 indica que tres tiempos y medio son "mil doscientos sesenta días". Por lo tanto, "siete tiempos" durarían el doble: 2.520 días. Ahora bien, las naciones no judías no dejaron de pisotear el gobierno de Dios tan solo 2.520 días después de la caída de Jerusalén. Queda claro que esta profecía tiene que extenderse por mucho más tiempo. Si buscamos Números 14:34 y Ezequiel 4:6, veremos que los dos textos mencionan una regla: "un día por un año". Si aplicamos esa regla a los "siete tiempos", tenemos 2.520 *años*.

El período de 2.520 años comenzó en octubre del 607 a.e.c. —cuando los babilonios tomaron Jerusalén y quitaron del trono al rey descendiente de David— y terminó en octubre de 1914. Fue entonces cuando concluyeron "los tiempos señalados de las naciones" y cuando Dios colocó a Jesucristo en su puesto de Rey celestial (Salmo 2:1-6; Daniel 7:13, 14).*

---

* De octubre del 607 a.e.c. a octubre del 1 a.e.c. van 606 años. Como no hay año cero, de octubre del 1 a.e.c. a octubre de 1914 de la era común (e.c.) van 1.914 años. Si sumamos 606 más 1.914, nos da 2.520 años. Si desea más información sobre el hecho de que Jerusalén cayó en el año 607 a.e.c., consulte el artículo "Cronología" de la enciclopedia *Perspicacia para comprender las Escrituras,* editada por los testigos de Jehová.

Jesús predijo que durante su "presencia" como Rey celestial se producirían sucesos espectaculares, tales como guerras, hambres, terremotos y epidemias (Mateo 24:3-8; Lucas 21:11). Y así ha sido. Estos sucesos son una prueba convincente de que en el año 1914 nació el Reino celestial de Dios y comenzaron "los últimos días" de este mundo malvado (2 Timoteo 3: 1-5).

¿Quién es el arcángel Miguel?

EN LA Biblia hay solo unos cuantos pasajes donde se llama Miguel a cierto ser espiritual. Pero en todos ellos siempre aparece haciendo algo. En el libro de Daniel, está combatiendo contra ángeles malos; en la carta de Judas, está discutiendo con el Diablo, y en el libro de Revelación (o Apocalipsis), está guerreando contra Satanás y sus demonios. En efecto, siempre defiende la autoridad de Jehová como Rey y lucha contra los enemigos de Dios. De esta manera hace honor a su nombre, que significa "¿Quién Es Como Dios?". Ahora bien, ¿quién es Miguel?

Antes de nada, recordemos que algunas personas tienen más de un nombre. Por ejemplo, a Jacob, que fue cabeza de una gran familia, también se le conoció como Israel, y al apóstol Pedro, como Simón (Génesis 49:1, 2; Mateo 10:2). De igual modo, la Biblia contiene indicaciones de que Miguel es otro nombre que recibe Jesucristo tanto antes de venir a la Tierra como después de regresar al cielo. Veamos qué razones encontramos en las Escrituras para llegar a esta conclusión.

Arcángel. La Palabra de Dios presenta a Miguel como "el arcángel" (Judas 9). Este término significa "ángel principal". Notamos que a Miguel se le llama *el* arcángel, lo que da a entender que solo hay uno de estos ángeles. De hecho, la Biblia nunca emplea la palabra "arcángel" en plural, sino siempre en singular. Además, Jesús aparece relacionado con la labor de arcángel. Así lo vemos en 1 Tesalonicenses 4:16, donde se indica lo que hará el resucitado Jesucristo: "El Señor mismo descenderá del cielo con una llamada imperativa, con voz de arcángel". Este pasaje dice que Jesús hablará con voz de arcángel. Por lo tanto, da a entender que el propio Jesús es el arcángel Miguel.

Comandante. La Biblia señala que "Miguel y *sus* ángeles combatieron con el dragón [...] y sus ángeles" (Revelación 12:7). Es obvio que Miguel es el Comandante de un ejército de ángeles fieles. El libro de Revelación también presenta a Jesús como el Comandante de un ejército de ángeles fieles (Revelación 19:14-16). Y el apóstol Pablo menciona expresamente al "Señor Jesús" y "sus poderosos ángeles" (2 Tesalonicenses 1:7). Así pues, la Biblia habla tanto de Miguel y "sus ángeles" como de Jesús y "sus ángeles" (Mateo 13:41; 16:27; 24:31; 1 Pedro 3:22). La Palabra de Dios no dice en ningún lugar que existan dos ejércitos de ángeles fieles, uno dirigido por Miguel y otro por Jesús. Por lo tanto, es lógico llegar a la conclusión de que Miguel es nada menos que Jesucristo desempeñando sus funciones en el cielo.*

---

* Encontrará más pruebas de que el nombre *Miguel* se refiere al Hijo de Dios en el vol. 2, págs. 386, 387, de *Perspicacia para comprender las Escrituras,* obra editada por los testigos de Jehová.

¿Qué es "Babilonia la Grande"?

EL LIBRO de Revelación, o Apocalipsis, contiene expresiones que no deben entenderse al pie de la letra (Revelación 1:1). Por ejemplo, habla de una prostituta que lleva escrito en la frente el nombre "Babilonia la Grande". También dice que se sienta sobre "muchedumbres y naciones" (Revelación 17:1, 5, 15). Eso no podría hacerlo ninguna mujer de carne y hueso, de modo que Babilonia la Grande tiene que ser un símbolo. La cuestión es: ¿qué representa?

En Revelación 17:18 se explica que es "la gran ciudad que tiene un reino sobre los reyes de la tierra". La palabra "ciudad" nos hace pensar en un grupo organizado de personas. Además, esta "gran ciudad" controla a "los reyes de la tierra". Por lo tanto, Babilonia la Grande tiene que ser una organización que ejerza una gran influencia por todo el planeta. Bien puede decirse que es un imperio mundial. Pero ¿de qué clase? Se trata de un imperio religioso. Veamos cómo nos llevan a esta conclusión algunos pasajes del libro de Revelación.

Los imperios pueden ser de tipo político, comercial o religioso. Sabemos que Babilonia la Grande no puede ser un imperio político porque la Palabra de Dios dice que "los reyes de la tierra [los sistemas políticos de este mundo] cometieron fornicación" con ella. El que cometa fornicación con los gobernantes de la Tierra simboliza que hace alianzas con ellos. Es comprensible, por lo tanto, que se le llame "la gran ramera" (Revelación 17:1, 2; Santiago 4:4).

La Biblia dice que cuando esta mujer sea destruida, lo lamentarán los "comerciantes [...] de la tierra", o sea, el sistema mercantil. Así, queda claro que Babilonia la Grande no es un imperio comercial. De hecho, los textos bíblicos indican que tanto los reyes como los comerciantes se quedarán mirándola desde "lejos" (Revelación 18:3, 9, 10, 15-17). Por lo tanto, es lógico concluir que Babilonia la Grande no es un imperio ni político ni comercial, sino religioso.

Hay otra prueba de que se trata de un imperio religioso: se afirma expresamente que engaña a las naciones con su "práctica espiritista" (Revelación 18:23). Todas las variedades de espiritismo tienen su origen en los demonios. Por eso no sorprende que la Biblia llame a Babilonia la Grande "lugar de habitación de demonios" (Revelación 18:2; Deuteronomio 18:10-12). Además, vemos que este imperio se opone con empeño a la religión verdadera, pues persigue a los "profetas" y a los "santos" (Revelación 18:24). Tanto odia a la religión verdadera, que persigue con violencia a "los testigos de Jesús" y llega a matarlos (Revelación 17:6). No cabe duda: Babilonia la Grande representa el imperio mundial de la religión falsa, el cual incluye a todas las religiones opuestas a Jehová Dios.

¿Nació Jesús en diciembre?

LA Biblia no nos dice exactamente cuándo nació Jesús. Pero sí nos da razones sólidas para pensar que no fue en el mes de diciembre.

En Belén, el pueblo donde nació Jesús, ¿cómo es el tiempo durante diciembre? El calendario judío tiene un mes llamado kislev, que cae entre noviembre y diciembre, y que es frío y lluvioso. Luego viene tebet, entre diciembre y enero, que es el mes con las temperaturas más bajas del año e incluso alguna nevada en las zonas altas. Veamos qué dice la Biblia sobre el clima de la región.

Esdras, uno de sus escritores, muestra que kislev era un mes frío y lluvioso. Dice que en "el noveno mes [kislev], el día veinte del mes" se juntó en Jerusalén una multitud, la cual estaba "tiritando [...] a causa de las lluvias cuantiosas". Además, añade que la muchedumbre allí reunida hizo el siguiente comentario sobre las condiciones del tiempo en esa época del año: "Esta es la estación de las lluvias cuantiosas, y no es posible

*Cuando nació Jesús, había pastores
en los campos pasando la noche
al aire libre con sus rebaños*

permanecer afuera" (Esdras 10:9, 13; Jeremías 36:22). Como
es lógico, al acercarse diciembre, los pastores de esas regiones
recogían sus rebaños para no tener que pasar las noches al aire
libre.

Sin embargo, la Biblia menciona que la noche en que nació Jesús había pastores cuidando de sus rebaños en los campos. De hecho, Lucas, escritor de uno de los Evangelios, cuenta
que, cerca de Belén, los pastores "vivían a campo raso y guar-
daban las vigilias de la noche sobre sus rebaños" (Lucas 2:8-
12). Notemos que no solo andaban por el campo de día, sino
que *vivían* allí. Tenían los rebaños fuera *de noche*. Si diciembre era tan frío y lluvioso en Belén, ¿sería lógico que ese mes
los pastores vivieran al aire libre? Claro que no. Por eso, las circunstancias que rodearon al nacimiento de Jesús muestran que
no ocurrió en diciembre.*

La Palabra de Dios señala con precisión cuándo murió Jesús,
pero da pocas indicaciones directas sobre cuándo nació. Esto
nos recuerda las siguientes palabras del rey Salomón: "Mejor es
un nombre que el buen aceite, y el día de la muerte que el día
en que uno nace" (Eclesiastés 7:1). Se comprende, entonces,
que la Biblia dé tantos detalles sobre el ministerio y la muerte
de Cristo, y tan pocos sobre la fecha de su nacimiento.

* Si desea más información, consulte las págs. 111-114 de *Razonamiento a partir de las Escrituras,* editado por los testigos de Jehová.

¿Debemos celebrar las festividades?

LA Biblia no dio origen a las fiestas religiosas o civiles que se
celebran hoy día en muchas regiones del mundo. Entonces,
¿de dónde salieron? Si le es posible acudir a una biblioteca,
podrá ver en los libros de consulta comentarios interesantes
sobre las festividades que son populares donde usted vive. Veamos algunos ejemplos.

Semana Santa. Aunque en teoría conmemora la muerte
y resurrección de Jesús, tiene muchas costumbres paganas,

como por ejemplo, las procesiones. Según *Las Grandes Religiones Ilustradas,* mucho antes de Cristo, los babilonios "colmaban a las imágenes sagradas de mil atenciones [...]. Se cubrían las estatuas con ricas vestiduras, se las adornaba con collares, brazaletes y anillos; descansaban en lechos suntuosos y se las sacaba en procesión". También es famoso en algunos países el "conejo de Pascua". La *Enciclopedia Católica* reconoce que este "es un símbolo pagano y siempre ha sido un emblema de fertilidad".

Año Nuevo. La fecha del Año Nuevo y las formas de celebrarlo varían de un país a otro. Leemos lo siguiente sobre su origen: "El emperador romano Julio César fijó el 1 de enero como día de Año Nuevo en el año 46 antes de Cristo. Los romanos dedicaron el día a Jano, dios de las puertas y de los inicios. El mes de enero [en latín, *Januarius*] recibió su nombre de Jano, el cual tenía dos caras: una mirando adelante y otra hacia atrás" *(The World Book Encyclopedia).* Por lo tanto, los festejos de Año Nuevo se basan en tradiciones paganas.

Noche de Brujas (Halloween). "Ciertas costumbres de la Noche de Brujas se remontan a una ceremonia de los druidas [antiguos sacerdotes celtas] de tiempos precristianos. Los celtas celebraban fiestas en honor a dos dioses principales: el dios Sol y el dios de los muertos [...]. La celebración en honor de este último tenía lugar el 1 de noviembre, día en que comenzaba el Año Nuevo celta. La fiesta de los difuntos se fue incorporando poco a poco a los ritos cristianos." *(The Encyclopedia Americana.)*

Otras fiestas. No es posible hablar de todas las festividades celebradas en el mundo entero. Ahora bien, Jehová no acepta ninguna celebración que exalte a personas o a instituciones humanas (Jeremías 17:5-7; Hechos 10:25, 26). Además, tenga presente que otra clave para determinar si una fiesta religiosa agrada o no a Dios es fijarse en qué origen tiene (Isaías 52:11; Revelación [Apocalipsis] 18:4). Los principios bíblicos que se expusieron en el capítulo 16 de este libro lo ayudarán a saber cómo ve Dios el que participemos en otras fiestas no religiosas.

¿Desea más información?

Escriba a la sucursal de los testigos de Jehová que corresponda.

ALBANIA: PO Box 118, Tirana. **ALEMANIA:** 65617 Selters. **ANGOLA:** Caixa Postal 6877, Luanda Sul. **ARGENTINA:** Casilla 83 (Suc. 27B), C1427WAB Cdad. Aut. de Buenos Aires. **ARMENIA:** PO Box 75, 0010 Ereván. **AUSTRALIA:** PO Box 280, Ingleburn, NSW 1890. **BAHAMAS:** PO Box N-1247, Nassau, NP. **BARBADOS, W.I.:** Crusher Site Road, Prospect, BB 24012 St. James. **BÉLGICA:** rue d'Argile-Potaardestraat 60, B-1950 Kraainem. **BENÍN:** 06 BP 1131, Akpakpa pk3, Cotonou. **BIELORRUSIA:** PO Box 9, 220030 Minsk. **BOLIVIA:** Casilla 6397, Santa Cruz. **BRASIL:** CP 92, Tatuí, SP, 18270-970. **BULGARIA:** PO Box 424, 1618 Sofía. **BURKINA FASO:** 01 BP 1923, Ouagadougou 01. **BURUNDI:** BP 2150, Buyumbura. **CAMERÚN:** BP 889, Duala. **CANADÁ:** PO Box 4100, Georgetown, ON L7G 4Y4. **CENTROAFRICANA, REPÚBLICA:** BP 662, Bangui. **CHILE:** Casilla 267, Puente Alto. **COLOMBIA:** Apartado 85058, Bogotá. **CONGO, REPÚBLICA DEMOCRÁTICA DEL:** BP 634, Limete, Kinshasa. **COREA DEL SUR:** PO Box 33, Pyungtaek PO, Kyunggi-do, 450-600. **CÔTE D'IVOIRE (COSTA DE MARFIL):** 06 BP 393, Abiyán 06. **CROACIA:** PP 58, HR-10090 Zagreb-Susedgrad. **CURAZAO, ANTILLAS HOLANDESAS:** PO Box 4708, Willemstad. **DINAMARCA:** PO Box 340, DK-4300 Holbæk. **DOMINICANA, REPÚBLICA:** Apartado 1742, Santo Domingo. **ECUADOR:** Casilla 09-01-1334, Guayaquil. **ESLOVAQUIA:** PO Box 2, 830 04 Bratislava 34. **ESLOVENIA:** pp 22, SI-1241 Kamnik. **ESPAÑA:** Apartado 132, 28850 Torrejón de Ardoz (Madrid). **ESTADOS UNIDOS:** 25 Columbia Heights, Brooklyn, NY 11201-2483. **ESTONIA:** PO Box 1075, 10302 Tallin. **ETIOPÍA:** PO Box 5522, Adís Abeba. **FILIPINAS:** PO Box 2044, 1060 Manila. **FINLANDIA:** PO Box 68, FI-01301 Vantaa. **FIYI:** PO Box 23, Suva. **FRANCIA:** BP 625, F-27406 Louviers Cedex. **GEORGIA:** PO Box 237, 0102 Tbilisi. **GHANA:** PO Box GP 760, Accra. **GRAN BRETAÑA:** The Ridgeway, Londres NW7 1RN. **GRECIA:** Kifisías 77, GR 151 24 Marousi. **GUAM:** 143 Jehovah St, Barrigada, GU 96913. **GUINEA:** BP 2714, Conakry 1. **HAITÍ:** PO Box 185, Port-au-Prince. **HONG KONG:** 4 Kent Road, Kowloon Tong, Kowloon. **HUNGRÍA:** Budapest, Pf 20, H-1631. **INDIA:** PO Box 6441, Yelahanka, Bangalore-KAR 560 064. **INDONESIA:** PO Box 2105, Yakarta 10001. **ISRAEL:** PO Box 29345, 61293 Tel Aviv. **ITALIA:** Via della Bufalotta 1281, I-00138 Roma RM. **JAMAICA:** PO Box 103, Old Harbour, St. Catherine. **JAPÓN:** 4-7-1 Nakashinden, Ebina City, Kanagawa-Pref, 243-0496. **KAZAJISTÁN:** PO Box 198, Almaty, 050000. **KENIA:** PO Box 21290, Nairobi 00505. **KIRGUISTÁN:** PO Box 80, 720080 Bishkek. **LETONIA:** A.k. 15, Rīga, LV-1001. **LIBERIA:** PO Box 10-0380, 1000 Monrovia 10. **LITUANIA:** Pd 2632, LT-48022 Kaunas. **MACEDONIA:** Pf 800, 1000 Skopie. **MADAGASCAR:** BP 116, 105 Ivato. **MALASIA:** Peti Surat No. 580, 75760 Melaka. **MALAUI:** PO Box 30749, Lilongwe 3. **MALTA:** IBSA House, Triq il-Waqqafa, Mosta MST 4486. **MAURICIO:** Rue Baissac, Petit Verger, Pointe aux Sables. **MÉXICO:** Apartado Postal 895, 06002 México, D.F. **MOLDAVIA:** PO Box 472, MD-2005 Chişinău. **MOZAMBIQUE:** PO Box 2600, 1100 Maputo. **MYANMAR:** PO Box 62, Yangón. **NEPAL:** PO Box 24438, GPO, Katmandú. **NIGERIA:** PMB 1090, Benin City 300001, Edo State. **NORUEGA:** Gaupeveien 24, NO-1914 Ytre Enebakk. **NUEVA CALEDONIA:** BP 1741, 98874 Pont des Français. **NUEVA ZELANDA:** PO Box 75142, Manurewa, Manukau 2243. **PAÍSES BAJOS:** Noordbargerstraat 77, NL-7812 AA Emmen. **PAPÚA NUEVA GUINEA:** PO Box 636, Boroko, NCD 111. **PARAGUAY:** Casilla 482, 1209 Asunción. **PERÚ:** Apartado 18-1055, Lima 18. **POLONIA:** ul. Warszawska 14, 05-830 Nadarzyn. **PORTUGAL:** Apartado 91, P-2766-955 Estoril. **PUERTO RICO:** PO Box 3980, Guaynabo, PR 00970. **RUANDA:** BP 529, Kigali. **RUMANIA:** CP 132, OP 39, Bucureşti. **RUSIA:** PO Box 182, 190000 San Petersburgo. **SALOMÓN, ISLAS:** PO Box 166, Honiara. **SENEGAL:** BP 29896, 14523 Dakar. **SERBIA:** PO Box 173, SRB 11080 Beograd/Zemun. **SIERRA LEONA:** PO Box 136, Freetown. **SRI LANKA:** 711 Station Road, Wattala 11300. **SUDÁFRICA:** Private Bag X2067, Krugersdorp, 1740. **SUDÁN:** PO Box 957, 11111, Khartoum. **SUECIA:** PO Box 5, SE-732 21 Arboga. **SURINAM:** PO Box 2914, Paramaribo. **TAHITÍ, POLINESIA FRANCESA:** BP 7715, 98719 Taravao. **TAILANDIA:** PO Box 7 Klongchan, Bangkok 10 240. **TAIWÁN:** 3-12, Shetze Village, Hsinwu 32746. **TANZANIA:** PO Box 7992, Dar es Salaam. **TRINIDAD Y TOBAGO:** Lower Rapsey Street & Laxmi Lane, Curepe. **TURQUÍA:** PO Box 23, Ferikőy, 34378 İstanbul. **UCRANIA:** PO Box 955, 79491 Lviv-Briukhovychi. **UGANDA:** PO Box 4019, Kampala. **VENEZUELA:** Apartado 20.364, Caracas, DC 1020A. **ZAMBIA:** PO Box 33459, 10101 Lusaka. **ZIMBABWE:** Private Bag WG-5001, Westgate.